MISHENKA

Du même auteur

Je suis né un jour bleu, Les Arènes, 2007
Embrasser le ciel immense, Les Arènes, 2009
L'Éternité dans une heure, Les Arènes, 2013

Mishenka
se prolonge sur le site www.arenes.fr

Ouvrage publié sous la direction de Catherine Meyer.

Éditions des Arènes
27, rue Jacob, 75006 Paris
Tél. : 01 42 17 47 80
arenes@arenes.fr

Daniel Tammet

MISHENKA

roman

traduit de l'anglais par Daniel Roche

les arènes

À Jérôme

Пролетарии всех стран, соединяйтесь!

Коммунистическая партия Советского Союза

ПРАВДА

Газета основана
5 мая 1912 года
В. И. ЛЕНИНЫМ

Орган Центрального Комитета КПСС

№ 160 [19303]   •   15 mars 1960   •   Цена 3 коп.

Le jeune Gelb affronte l'indétrônable champion du monde Koroguine

ПУТЬ к этим 108 минутам триумфа занял пятнадцать лет. Первой послевоенной весной, 13 мая 1946 года, И.В. Сталин подписал исторические Постановление №1017-419, определяющее развитие ракетной техники на многие года вперед. Страна, еще не залечившая раны войны, вынесшая на своих плечах основную тяжесть борьбы с фашизмом, начинала прокладывать человечеству дорогу к звездам. Лучшие ученые и специалисты были привлечены к этой работе. Создавались и оснащались новые материалы и технологии. Вглубь исследования в области машины – никто на Земле не знал, что такое невесомость, как влияет она на состояние космонавта. Строилась первая космическая гавань Земли – прославленный Байконур. Разрабатывались системы связи, автоматика и телеметрия. В вузах вводились новые инженерные специальности для космической отрасли. Трудно даже представить себе тот гигантский объем работ, которые необходимо было выполнить в самых различных областях – от строительства до медицинских исследований и от химии до вычислительной техники.

Часто бывает, что создания не доживают до времени плодоношения сада. И.В. Сталин не дожил до триумфального завершения начатой им работы. Но созданию им космическая отрасль не набрала силы, и Главный конструктор С.П. Королев после смерти Сталина написал письмо в ЦК, предлагая выстроить гражданский мавзолей из космического стекла, более вечного, чем гранит, чтобы возвать должное великому человеку, так много сделавшему для выхода человечества в космос.

Напряженная работа продолжалась, запускались всё новые ракеты, но крупных событиях космической отрасли. Трудно даже представить себе тот гигантский объем работ, которые необходимо было выполнить в самых различных областях – от строительства до медицинских исследований и от химии до вычислительной техники.

Часто бывает, что создания не доживают до времени плодоношения сада. И.В. Сталин не дожил до триумфального завершения начатой им работы. Но созданию им космическая отрасль не набрала силы, и Главный конструктор С.П. Королев после смерти Сталина написал письмо в ЦК, предлагая выстроить гражданский мавзолей из космического стекла, более вечного, чем гранит, чтобы возвать должное великому человеку, так много сделавшему для выхода человечества в космос.

Напряженная работа продолжалась, запускались всё новые ракеты, но крупных событиях

Chapitre 1

Moscou, 15 mars 1960.

Un cri. Si l'on pouvait l'appeler ainsi – un sifflement de bouilloire. De ma place, au bar, on entendait à peu près «*ssséluiii*». Quelques secondes plus tard, le cri, lancé par une femme, s'éleva de nouveau : «*Lui, c'est lui*!» En un instant, le mot d'ordre improvisé se répercuta aux quatre coins de la salle, vibrant de toutes les émotions accumulées ces dernières heures, évinçant fourchettes de viande ou cigarettes *papirosi*.

«C'est *lui*, c'est *lui*!», murmurai-je à mon tour, sans bien saisir le sens des mots que je prononçais. Je n'imitai pas les convives, hommes et femmes, qui se levèrent d'un bond et quittèrent leurs tables pour converger bruyamment vers l'entrée du restaurant. L'aisance avec laquelle ils rejetèrent leurs serviettes pour entonner les vivats me stupéfia. Mes réflexes étaient plus lents. Mais je sentais tout de même l'excitation accélérer mon pouls.

La porte du restaurant hésita, laissant passer un souffle d'air glacé qui embaumait ce soir de mars. Imperturbable, la foule bruyante entoura le nouveau venu, comme pour mieux l'envelopper de sa chair attiédie. Un tumulte d'acclamations retentit lorsque les battants se refermèrent enfin derrière lui.

«Vic-toire! Vic-toire!», cria la femme.

Mais pour une raison quelconque, ce nouveau slogan ne prit pas. Une voix grave, plus jeune et plus ivre que la première, la supplanta rapidement, scandant un chaleureux: «Gelb! Gelb!», auquel Mikhail Nekhemievich Gelb, prétendant au titre de champion du monde d'échecs, ne put répondre que par un hochement de tête et un sourire. De tous côtés, dîneurs et buveurs se pressaient autour de lui. Les plus éloignés de la porte, pour mieux le voir, avaient escaladé des chaises; le plus léger s'était même risqué sur une table. Une assiette contenant quelque chose de liquide se fracassa sans bruit sur le sol. Les clameurs se firent alors plus variées: «C'est notre petit Misha!», cria une voix rauque et masculine qui semblait venir de la cuisine. «Fais-en baver au vieux!», grogna une autre voix dans la direction opposée. «Il est plus petit que je ne le pensais», murmura la serveuse à une femme aux cheveux gris, tout en redescendant péniblement de l'une des chaises collées au bar. Elle lissa son tablier de la main gauche. Sa main droite tenait encore la bouteille de rouge qu'elle était en train de verser quand l'excitation avait gagné la salle. «Mais il a de beaux yeux.» Lentement, Gelb fendit la nuée humaine en direction du bar; des rangées de chaussures exhibaient leurs semelles – gauche, droite, gauche, droite – à mesure que leurs propriétaires reculaient sans se retourner. Une avalanche de dos. Elle se refermait sur moi, l'étoffe des chemises et des corsages blancs étirée par des mains impatientes de serrer celle du grand maître ou de lui tapoter la tête.

Un autographe! Vite! Les sacs s'ouvraient, on se passait des stylos à bille. Mon crayon de reporter, accroché au carnet dans lequel j'avais noté mes réflexions sur la première partie, disparut en un éclair.

***

Le début du match tant attendu avait été programmé le
15 mars : depuis des mois, tout le pays bruissait des noms
et des chances des deux joueurs. D'interminables conversations – qui pouvaient se prolonger des heures durant dans
les bus, les rues, à la maison ou au bureau –, une pluie de
séquences radio et télé et un déluge d'articles de presse se
livraient aux mêmes spéculations, généreusement illustrées,
dans les journaux, par de grands portraits des protagonistes.
À Moscou, seuls les analphabètes, les snobs ou les endeuillés
restaient insensibles à la prolifération des échiquiers placardés
sur les murs de la ville.

La semaine précédant cette première partie, reporters et
grands maîtres venus de toutes les républiques de l'Union,
comme de l'étranger, avaient convergé vers la capitale.
Quand mon rédacteur en chef m'avait demandé de me
joindre à eux, j'avais renâclé : que pourrait bien ajouter ma
plume aux commentaires des plus prestigieux spécialistes
des échecs ? J'avais sondé ses intentions. Il s'était rabattu sur
la flagornerie. Le journal avait besoin de comptes rendus
capables de susciter et de retenir l'intérêt de son vaste lecto-
rat. Journalistes d'échecs et pousseurs de bois, dit-il, étaient
aussi communs que les moineaux. Le récit d'un écrivain
– voilà qui donnerait un autre impact à ce sujet. J'avais fini
par accepter bien sûr.

À la cérémonie d'ouverture, le 12 mars, à la Maison de la
Radio de Moscou, je prenais déjà quelques notes. Les festivi-
tés, comme il convenait à un championnat du monde, étaient
des plus élaborées. Les meilleurs des grands maîtres avaient
fait le déplacement – les anciens prétendants au titre Mirslov
et Bronstein, l'ex-champion Euwe. Chargé de commenter et

d'analyser les parties pour la presse, le grand maître Ragojine fronçait les sourcils sous la mitraille des flashes. Les premières mesures d'un prélude spécialement composé pour l'occasion retentirent sur un piano à queue. Au centre de la salle, flanqué de son épouse potelée et des deux arbitres du match, indifférent à leurs timides tentatives d'aparté, se dressait Koroguine, le champion du monde.

«C'est un honneur», fit le compositeur quand on le présenta au champion. «Puisse la compétition répondre aux grands espoirs auxquels votre belle carrière nous a depuis longtemps habitués.» En guise de réponse, Koroguine découvrit ses dents grises et serra la main tendue.

Des politiciens, éternels moulins à paroles, étaient venus eux aussi rendre hommage à «l'invincible maître». Ils caquetèrent abondamment sans susciter en retour le moindre mot. Après plusieurs minutes de monologue, Madame Koroguine leur coupa la parole pour les remercier: «Mon mari est extrêmement sensible à votre soutien.»

«Où est Gelb?», demanda l'un des journalistes. Le challenger était en retard. Le programme, si soigneusement chronométré par les organisateurs, semblait en péril. Les bruits qui perçaient la vitre du studio trahissaient une fébrilité croissante: des millions d'auditeurs attendaient le moment d'allumer leur poste. «Où est Gelb?» semblaient dire chaque coup d'œil à la montre, chaque fenêtre qu'on ouvrait, chaque combiné téléphonique décroché.

Hors d'haleine, Koblents, l'entraîneur de Gelb, arriva le premier, multipliant les excuses. Quelque chose à propos d'une confusion sur les heures. «Mon Mishka, vous savez bien, il oublierait son nez s'il n'était pas sur son visage.»

Mais les ragots, feutrés et discrets, s'étaient déjà substitués à l'impatience des hommes qui attendaient. Quelqu'un évoqua les «horaires irréguliers» du challenger : le jeune homme de vingt-trois ans n'avait pas de vie de famille à proprement parler. Son échiquier de poche et lui étaient, disait-on, inséparables. Sa passion pour le jeu ne connaissait pas de limites. Nourriture, argent, beau sexe – rien de tout cela n'avait la moindre prise sur son esprit. Et il n'avait, à en croire les chuchotements, pas encore connu la tendresse d'une femme ; sa chambre à coucher restait vouée à d'austères réflexions. Parmi les grands maîtres – ses anciens rivaux privés du droit d'affronter le champion – le blâme était sans nuance, unanime. Très charmeur, ils en convenaient... Mais si fanfaron ! Seule la chance avait pu le conduire jusqu'ici. Son inexpérience allait tôt ou tard le trahir et ce long match révélerait fatalement ses failles.

Je me demandai s'il n'y avait là que jalousie. Et tandis que je traversais la salle, passant silencieusement d'un échange à l'autre, tout ouïe, sourd aux jugements les plus sévères, guettant d'éventuelles révélations, ce me fut un soulagement d'entendre des commentaires plus cléments. Le match représentait une occasion d'excitation. Or le jeu du challenger était excitant. Quelle importance si ses initiatives trahissaient parfois son imprudence ? Ses meilleures parties, déjà nombreuses, illustraient parfaitement l'impétuosité de la jeunesse.

Le champion ne desserrait pas les lèvres. Son masque renfrogné signalait autant de dépit que d'agitation. Quand il arriva enfin, vingt minutes après son entraîneur, Gelb était tout sourire. «Maxim Ivanovitch», dit-il en s'adressant à Koroguine, «Maxim Ivanovitch, je suis désolé» – il n'avait pas du tout l'air désolé. Sa rougeur en s'estompant révéla une peau fraîche et laiteuse, aux pores fins. Comme on le débarrassait de son manteau à col de fourrure, il se pencha en avant, laissant ses cheveux noirs ébouriffés par le chapeau retomber sur son front jusqu'à ses yeux bruns. Que n'avait-on écrit sur ces yeux! Si grands, si brillants... Ses adversaires avaient même tenté de conjurer leur éclat en arborant des lunettes noires. En vain.

Son costume cintré et déboutonné était devenu informe à force d'avoir été porté. Contre la blancheur de son col, le regard intense du challenger se détachait plus encore. Cela dit, son allure générale frisait le burlesque: la chemise de coton semblait trop grande, le tissu gondolait sur sa poitrine. Quant au col, fermé, il était orphelin: il y manquait la cravate. Comme surgi de nulle part, Koblents – l'indispensable Koblents – fit apparaître, en magicien rompu à l'exercice, une longue cravate noire qu'il enroula et noua prestement sous le menton de son protégé. Le sourire patient de Gelb, sa posture docile sous les doigts agiles et empressés de Koblents, suggéraient une familiarité forgée par de nombreux nouages de cravate antérieurs.

Une voix lança: «Cinq minutes. Camarades de la presse, vos questions aux joueurs. S'il vous plaît, une question par journaliste.» Mais avant que nous ayons eu le temps de prononcer ne fût-ce qu'un début de phrase, un jeune homme en sueur chaussé de lunettes à verres carrés empoigna Gelb par le bras et le bombarda de questions:

«Vos impressions?»

«Nerveux?»

«Comment est l'hôtel?»

Il continua au même rythme, proférant ses interrogations courtes et incolores dans un russe approximatif. Le sourire patient de Gelb, ses yeux perçants et lumineux, se tournèrent vers le correspondant américain. Il ouvrit la bouche et la referma sans un mot, l'enchaînement des questions excluant toute réponse. Amusé, réprimant difficilement son hilarité, Gelb actionna ses sourcils et ses épaules, les haussant et les abaissant à tour de rôle.

« Préparation – beaucoup ? »

À mesure que l'Américain parlait, la page de son calepin se couvrait de signes – spirales, points et lignes – qui traduisaient en quelque sorte chaque geste de Gelb.

« Régime spécial ? »

Ce fut sa dernière question. Ayant dit tout ce qu'il avait à dire et sans attendre de réponse, l'Américain referma son carnet, tourna les talons et disparut.

L'interrogatoire reprit aussitôt. « Maxim Ivanovitch, mardi votre adversaire ouvrira la première partie avec les Blancs. Selon vous, cela constitue-t-il un avantage ? » C'était Papov, de *Sovetsky Sport*. Le champion secoua sa grosse tête.

Gelb, prompt à saisir le véritable sens de la question, intervint : « Je vais ouvrir avec le pion du Roi. C'est ce que j'ai dit au journaliste qui m'a interrogé il y a six mois et je ne suis pas homme à revenir sur ma parole. D'ailleurs, ce n'est pas un mauvais coup en soi. »

Le rire qui suivit empourpra de nouveau son visage. Malgré son honnêteté touchante, la candeur du challenger frappa la plupart des journalistes par son étrangeté. Éventer ainsi sa stratégie, même partiellement, n'avait aucun sens. Pourquoi se priver de toute possibilité de surprise ? C'était un mystère pour nous, perdus en conjectures sur les motivations de Gelb. Peut-être fallait-il y voir une marque d'assurance, une impudente absence de toute crainte. À moins qu'il n'eût fallu déceler là une manœuvre psychologique plus subtile. La franchise de cette déclaration d'intention visait-elle à semer la perplexité dans l'esprit du champion ? Plus d'un maître aurait été capable d'un tel stratagème.

Koroguine sembla soulagé quand un homme aux cheveux blancs conduisit les joueurs derrière la vitre du studio et les installa devant les micros qui faisaient penser à des gousses de petits pois métalliques. Le signal lumineux «DIRECT» s'alluma au-dessus de la porte. Les cheveux blancs du présentateur, sa légère claudication alors qu'il traversait la pièce, ne m'avaient rien évoqué; amplifiée par les haut-parleurs, sa voix aux intonations douces m'émut presque aux larmes – de nostalgie. Vadim Slavsky, la voix des échecs, avait diverti de ses commentaires des générations d'auditeurs. Il évoquait maintenant ses souvenirs avec le champion, rappelant au grand maître l'époque où il avait remporté son premier tournoi international à Nottingham, en Angleterre, en 1936 (l'année de naissance de Gelb). Mais ni l'évocation de sa stupéfiante victoire – il avait battu quatre champions du monde – ni celle de ses années de jeunesse ne purent soutirer à Koroguine autre chose que quelques fades souvenirs. La voix de Slavsky laissa filtrer sa déception. Il avait de toute évidence espéré des confidences plus personnelles, des anecdotes qui auraient dévoilé l'homme derrière les lunettes à fine monture d'acier, son «âme», comme auraient dit les écrivains d'antan. Et pourtant, en dépit des perches que lui tendait le présentateur, le champion se montrait peu disert.

La crispation dans la voix de Slavsky ne put échapper aux auditeurs. Elle ne dura qu'un instant. Il connaissait trop son métier pour laisser l'émission cafouiller. Il embraya sans hésitation sur le championnat d'URSS remporté trois ans plus tôt par un parfait inconnu, un maître de Riga âgé de vingt ans. «Tout le monde disait : *c'est qui ce Gelb?*» Il est devenu le vainqueur le plus jeune, et de loin, dans l'histoire d'un tournoi qui remonte maintenant à quatre décennies.

À la présentation de l'homme de radio, Gelb répondit avec enthousiasme. Il parlait avec l'aisance d'un tout récent diplômé en littérature, parsemant ses longs commentaires de toutes sortes de citations et de calembours. On l'écoutait avec plaisir, même si d'obscures allusions durent échapper à bon nombre d'auditeurs. Avec plaisir, oui, car il compliquait la vision alors prédominante d'un jeu que le nom de Koroguine avait longtemps résumé à lui seul, vision le réduisant à un simple exercice de calcul.

Et voilà que ce jeune challenger évoquait un roman, citait des vers, multipliait les plaisanteries (drôles, qui plus est). Il n'y avait d'ailleurs rien d'affecté dans ses propos : il donnait l'impression de ne pouvoir s'empêcher de parler ainsi, mêlant échecs et alexandrins, comme si une telle profusion de pensée était la source même, le fondement, de son don.

Au bout d'une demi-heure la discussion cessa et la musique prit le relais. La cérémonie et ses échanges d'amabilités étaient bel et bien terminés.

«Non mais quel bonimenteur, cet aspirant champion!», marmonna à son épouse un Koroguine méprisant lorsqu'il sortit du studio pour regagner sa voiture avec chauffeur.

**

Trois jours plus tard, boulevard Tverskoï à trois heures de l'après-midi, je contemplais la façade à colonnes de l'arène où devait se tenir le championnat du monde d'échecs, le théâtre Pouchkine. Un ciel chargé, une température négative, encore une heure de patience avant le lever de rideau et cette longue file d'attente qui s'étirait sur le trottoir. Des hommes en pardessus et des femmes à barbe, les franges noires de leurs foulards pendillant sous leurs mentons emmitouflés, exhalaient un sillage de buée qui se dissipait dans l'air ambiant et me rappelait le train de Vladivostok. Ils étaient pourtant heureux, euphoriques, même. C'étaient les survivants de tous ceux qui avaient campé devant le guichet du théâtre pendant de longues et glaciales semaines d'hiver afin d'obtenir l'un des mille deux cents billets mis en vente. Les fils avaient patienté plusieurs heures avant d'être relevés par les pères, puis l'épouse avait relayé le mari entre les courses et l'école. Certains avaient même abandonné leur poste de travail pour pouvoir faire la queue à plein temps. Ceux qui n'avaient finalement rien obtenu s'adressaient maintenant aux revendeurs à la sauvette qui faisaient les cent pas devant le théâtre avec de faux airs de policiers. Les prix doublaient, triplaient, quadruplaient, mais le trafic prospérait. Au coin de la rue, les billets changeaient de mains discrètement.

Je présentai ma carte de presse et pénétrai dans le théâtre. Je voulais voir l'auditorium avant qu'il ne se remplît. Les aspirateurs bourdonnaient dans les allées, les plumeaux voletaient de-ci de-là. Traversant les odeurs de chiffons et de cire qui flottaient sur la salle, j'explorai, avant de redescendre, les trois balcons et les points de vue qu'ils offraient sur la scène. En son milieu, sur un tapis à la mosaïque bigarrée, on avait installé deux chaises séparées par une table, munie d'un plateau à hauteur de cuisse sur lequel reposait un échiquier. Deux petites pendules remontées à bloc et chargées de chronométrer chaque coup des joueurs veillaient de part et d'autre du plateau. Suspendues dans les cintres, quatre rangées de pièces géantes, en deux dimensions, attendaient de s'affronter sur un échiquier de démonstration lui aussi géant et bidimensionnel.

Je m'installai sur un fauteuil au troisième balcon et, les yeux fixés sur les deux chaises vides et les échiquiers encore inertes, tentai de me représenter les pensées et les émotions des joueurs dans ces instants qui précèdent le coup d'envoi. Le champion en titre, après toutes ces années et tous ces matches remportés haut la main, était-il encore capable d'avoir le trac? Que pouvaient bien lui conseiller, dans un tel moment, son épouse et son assistant, le grand maître Rudik? Peut-être rien. Je me les imaginai dans la loge du champion, évitant les miroirs, communiant en silence. À l'autre extrémité du couloir, le challenger et son entraîneur devaient se trouver dans une loge identique. En train de chanter. C'est en tout cas ce qu'avait affirmé Gelb, quand Slavsky l'avait interviewé. «Koblents chante magnifiquement juste.» Leur air préféré était 'O sole mio.

Les portes du théâtre s'ouvrirent, laissant affluer la bruyante cohue des spectateurs. Je quittai ma place pour descendre au vestiaire et observai les arrivants troquer leurs manteaux, chapeaux et parapluies gelés contre des cartons numérotés. Un trench marron saupoudré de neige fut échangé contre un numéro 12. Un manteau de fourrure passablement dégarni devint le 109. Le 333 revint à une paire de cache-oreilles blancs accompagnés de gants noirs et d'un anorak bleu foncé.

Hommes et femmes se déversèrent dans l'auditorium une heure durant, ombres en quête de siège transmuant peu à peu la tonalité des lieux de la dorure au brun foncé. Cette chasse aléatoire semblait renforcer encore la bonne humeur du public. Rires et bavardages fusaient de toutes parts. Une jolie ouvreuse répondait aux questions inutiles des hommes. Par-dessus la crête ondulante des têtes, le plafond argenté brillait de tous ses lustres.

Surgies à droite de la scène, les silhouettes de Rudik, Koblents et des deux arbitres s'installèrent à un bureau placé sur le côté, bientôt suivies par les techniciens de la télé qui disposèrent leurs caméras parallèlement à la table des joueurs. On pouvait estimer la hauteur de l'échiquier géant à la taille des cameramen qui se tenaient devant lui – il devait être à peu près quatre fois plus grand. Les pions géants paraissaient un peu plus gros que des poires. Les Cavaliers, plus imposants encore, n'auraient pas eu l'air déplacé sur un cheval à bascule.

À 15 h 59 précises, les joueurs surgirent de la gauche de la scène, déclenchant un tonnerre d'applaudissements. Les caméras s'avancèrent et répercutèrent l'image d'un Gelb impeccable aux cheveux pommadés, rejetés en arrière. Sa cravate verticale avait le nœud ferme et bombé. Sur les écrans, on pouvait voir le tenant du titre, vêtu de son habituelle tenue noire et blanche, assis à droite de la table, l'air maussade. Gelb et Koroguine ne s'étaient jusqu'alors jamais rencontrés autour d'un échiquier.

Une voix demanda le silence une première fois, puis une deuxième. À la troisième, les applaudissements cessèrent.

Après avoir salué le champion sortant, le challenger tira une feuille de papier de sa poche intérieure, la déplia sur la table et griffonna quelques mots de son stylo à plume. Gelb était connu pour noter chacun des coups qu'il s'apprêtait à jouer. Comme il l'avait annoncé aux journalistes, il ouvrit par le pion-Roi blanc. Koroguine répliqua aussitôt en avançant d'une case le pion-Roi noir. Des salves sporadiques d'applaudissements saluèrent chacun des coups.

L'ouverture de Gelb avait été conforme à son annonce et la réaction du champion en titre n'avait rien pour surprendre. Pourtant, avant de jouer son deuxième coup, le challenger hésita quelques instants. Rassemblait-il ses pensées en vue de la bataille qui l'attendait ?

Le précédent championnat du monde avait nécessité vingt et une parties (Koroguine l'emportant sur le grand maître Mirslov avec un écart de cinq points). Ce nouveau match, qui opposait des forces si dissemblables, allait-il durer aussi longtemps ?

Les cameramen, quand ils eurent tourné assez d'images pour les infos du soir, démontèrent les supports métalliques de leurs caméras et regagnèrent les coulisses. La scène, vue de biais depuis mon siège, avait pris un nouvel aspect ; les silhouettes des joueurs penchés sur le jeu se découpaient à présent plus nettement. La grosse tête du champion exsudait la concentration. Comme sa tonsure luisait ! Mais c'étaient les mains des joueurs qu'on distinguait le mieux : chaque mouvement de pièce les mettait en relief. Droitier, Gelb déplaçait pourtant ses pièces de la main gauche. La raison de cette ambidextrie se devinait aisément : il préférait qu'on ne remarquât pas trop sa main droite, à laquelle manquait un doigt. Une malformation de naissance, probablement. Cette absence donnait l'impression que les quatre doigts restants étaient trop plats, comme si on les avait légèrement écrasés. Koroguine, par contraste, ne souffrait à cet égard d'aucune timidité : ses mains délicates aux doigts effilés se mouvaient avec aisance et grâce. On eût dit des mains de pianiste, ou de pickpocket.

« Oh !
– Chut ! »

C'est par des glapissements d'excitation étouffés, suivis de cris de réprobation, que le public réagit au septième coup de Gelb : la décision d'engager la Dame blanche si tôt dans la partie dénotait une certaine audace. Quelques instants plus tard, le décalage ajoutant à la solennité du moment, la gigantesque couronne de cette reine sur l'échiquier de démonstration disparaissait pour réapparaître sur une autre case. L'action plus lente, plus irréelle que l'originale (comme après chaque coup des joueurs), était le fait de techniciens installés sur un échafaudage, en coulisse. Des aimants permettaient de manipuler aisément les symboles figurant chaque pièce. Toutes les cases amovibles de l'immense structure, actionnables par des tiges horizontales fixées au centre de chacune d'elles, pouvaient être retournées. Un carré déserté par son jeton pivotait sur lui-même pour découvrir son verso vide. Une case nouvellement occupée se retournait après un instant d'hésitation pour dévoiler la figurine qui venait d'y être disposée.

Contemplant l'immense panneau avec un émoi religieux, captivé par son mystère et la fluidité de son fonctionnement, je m'interrogeai sur sa dimension humaine. Au début je fus sidéré. Et puis, à force de regarder l'immense échiquier se transformer, ma perplexité s'accrut. J'essayai de me représenter les hommes derrière ces cases, les gestes, les manœuvres invisibles, les opérateurs actionnant tel ou tel mécanisme, mais ce que j'en imaginais était assez flou et me laissait sceptique.

Je jetai un coup d'œil aux grands cadrans situés au-dessus de la scène, où s'affichait le temps qui restait encore à chacun des deux joueurs. Chaque grand maître dispose de deux heures et demie pour quarante coups, avec un ajournement au lendemain si le résultat n'est pas acquis. Les joueurs sont libres d'user comme bon leur semble du temps qui leur est alloué. Quelques-uns, à l'instar de l'illustre Bronstein, pouvaient consacrer de longues minutes à leur stratégie d'ouverture : il lui était arrivé, dans un tournoi, de réfléchir pas moins de quinze minutes avant de jouer ce premier coup (un cas toutefois extrême). Mais la plupart des maîtres préfèrent garder ces importantes minutes pour les phases ultérieures de la partie, le milieu ou la fin, quand la position des pièces obéit à des schémas aux ramifications complexes dont le décryptage mobilise toutes les ressources mentales du joueur. Ce sont ces « moments critiques » dont parlent les maîtres, quand il faut décider si l'on prend l'initiative du jeu ou au contraire si on la laisse à l'adversaire. Alors les minutes défilent, chacune plus précieuse que la précédente. Un seul coup, dans ces phases, peut coûter très cher en temps d'horloge.

Cette fois, le premier moment critique ne survint qu'à la suite du onzième coup. Après quatre déplacements successifs de la Dame blanche (de quoi ébahir les débutants, auxquels on répète à l'envi de commencer par déployer leurs pièces mineures), Gelb fit glisser son Roi sur la case de départ de la Dame, au mépris d'une autre règle sacro-sainte : dès que possible, mettre le Roi à l'abri dans un coin de l'échiquier.

Un frémissement d'excitation traversa l'auditorium. Du deuxième balcon comme de l'orchestre montèrent exclamations de surprise et d'expectative. Je demandai son opinion à mon voisin, un monsieur corpulent. «Il court au désastre», répondit-il en désignant le challenger. «Son Roi est sans défense, sa Dame a la bougeotte, ses pions sont éparpillés», poursuivit-il sur le ton péremptoire de l'amateur éclairé. «Et où sont ses Fous? Son Cavalier du Roi? Ses Tours? On a l'impression qu'il ignore leur existence.» Tel était le verdict de ce supporter de Koroguine.

Le champion en titre fit longtemps attendre son treizième coup. Il réfléchit trente-sept minutes, soit plus longtemps que Gelb pour ses treize premiers coups. Finalement, Koroguine avança le pion-Dame sur la sixième rangée, attaquant le Cavalier et menaçant le Roi blanc. Gelb s'empara aussitôt du pion noir. Il jouait avec promptitude et assurance. Bientôt le Fou-Dame blanc et les deux Tours blanches entrèrent dans la bataille, si bien que le petit avantage du challenger – son pion d'avance – se fit de plus en plus sentir. Mon voisin retenait sa respiration et gigotait sur son siège.

«Aspirant champion», avait dit Koroguine à propos de son jeune opposant. Simple façon de parler, ou voulait-il signifier autre chose? Évidemment, les mois précédents, le champion du monde et Rudik, son assistant, avaient étudié avec soin le jeu du prétendant, évaluant chacune de ses forces et de ses faiblesses. «Aspirant champion». Koroguine n'avait jamais usé de cette expression avec aucun autre adversaire. Cela ressemblait à un hommage à l'audace du jeune homme – il n'avait certainement jamais affronté un adversaire de cette trempe.

Deux rangs plus bas, trois spectateurs s'étaient autorisé une pause cigarette. Dehors, des panneaux aimantés de deux mètres sur un avaient été disposés à l'intention des malchanceux qui n'avaient pu obtenir de billet. Les fumeurs pouvaient eux aussi continuer de suivre la partie à l'extérieur du théâtre. La vision d'un Gelb fumant cigarette sur cigarette alors que son adversaire ruminait le coup suivant avait eu sur ces spectateurs l'effet contagieux d'un bâillement.

Koroguine, concentré sur l'échiquier, contemplait l'étendue de ses embarras. Gelb arpentait maintenant la scène de long en large. À l'initiative du champion, une rapide succession de mouvements se solda par une série d'échanges : un Cavalier blanc contre un noir et, deux coups plus loin, une Tour blanche contre une noire. Chercher à simplifier le jeu, c'était à présent la dernière chance du champion, mais le second échange semblait arbitraire. Un coup sans réelle justification qui ne faisait que hâter un peu plus le dénouement. Lequel était désormais imminent.

« Excusez-moi. » « Désolé. » « Merci beaucoup. » Trois hommes en costume cravate, qui sentaient un peu le froid et les relents de tabac, regagnèrent leurs fauteuils, non sans heurter au passage quelques paires de genoux. Des membres d'un club d'échecs local, supposai-je. On en comptait des dizaines dans la seule capitale.

À peine nos fumeurs venaient-ils de se rasseoir que le match vécut ses ultimes péripéties. Gelb joua son vingt-neuvième coup à sept heures quarante-cinq, Koroguine capitula à sept heures cinquante-quatre. Le champion quitta la salle. Je ne parvins pas à applaudir. Les requêtes de mes voisins, qui se levaient pour gagner la sortie, me semblaient adressées à quelqu'un d'autre que moi. Sur mes genoux, les notes que j'avais prises m'apparaissaient elles aussi comme le travail d'un autre. Il fallut que les applaudissements faiblissent enfin pour que je reprisse possession de mes sens et que ces pages redevinssent miennes. Je pris le carnet et me relus. Gelb avait joué à une vitesse stupéfiante, exécutant ses trente-deux coups en une heure trente et une minutes. Le champion, lui, avait eu besoin de deux heures et vingt-deux minutes. Au moment de sa capitulation, juste avant le trente-deuxième coup, il ne lui restait plus que huit minutes pour jouer les neuf coups qui lui étaient encore autorisés. Près d'une heure : l'écart entre les temps de jeu des deux compétiteurs parlait de lui-même. Koroguine, âgé de cinquante ans, avait succombé à un deuxième ennemi : le temps.

Il n'était pas encore huit heures du soir et la première partie était déjà finie. Une situation somme toute inattendue. Sans me presser, je décidai d'emporter mes notes dans un restaurant voisin où je me frayai difficilement un chemin jusqu'au bar. J'avais la bouche si sèche que je percevais la saveur de mes dents. J'avalai une vodka et tentai de rassembler mes pensées. Comment mon article devait-il caractériser cette partie? me demandai-je. «Belle», avais-je entendu sur un transistor portatif, à un arrêt de bus où les gens faisaient la queue. L'inimitable diction de Vadim Slavsky s'était découpée dans l'air glacé avec une impressionnante autorité. Pour une partie pleine de suspense et de surprises, l'adjectif du commentateur semblait approprié. Mais ça, c'était ma réaction initiale et à présent, dans le brouhaha du restaurant, le doute ébranlait mes certitudes. La beauté d'une partie d'échecs n'est pas celle d'une femme ou d'une fleur. Les formes et les harmonies qu'elle engendre sont imprévisibles, spontanées, réfractaires aux idées et catégories préconçues. Y compris aux notions de la beauté que s'est forgées l'être humain. Slavsky le savait, ne s'était abaissé à aucune explication et j'avais réagi moins au mot qu'à l'enthousiasme de sa voix. Prononcé d'une certaine façon, «*belle*» restituait la beauté de cette première partie. C'était sans doute là toute l'interprétation qu'un amateur pouvait espérer obtenir.

C'est alors que Gelb fit son apparition. J'avais avalé mon deuxième verre et mon article commençait à prendre forme quand soudain, un cri aigu, suivi d'un deuxième, insolites dans un restaurant, me firent oublier un instant mon travail. Les convives se levèrent brusquement, des assiettes furent renversées et une bousculade homérique s'ensuivit. Le challenger avait choisi cet endroit pour se désaltérer – j'avais peine à y croire! Autour de lui des hommes et des femmes formaient un bloc compact et il lui fallut plusieurs minutes avant de parvenir enfin au comptoir où il demeura silencieux, le visage empourpré.

«Un petit verre pour fêter la victoire?», interrogea le barman. Une radio, remisée entre les bouteilles dans une caisse en plastique, continuait d'émettre un discret bourdonnement. Les pièces tintèrent dans les sacs à main mais le barman tint bon: «C'est la maison qui offre, bien sûr.»

Entre les poignées de mains et les dédicaces de napperons, toujours de la main gauche, Gelb enchaîna les verres. Il commença par une bière avant de passer rapidement à autre chose. J'aurais pu lui offrir à boire – nos coudes se touchaient presque – mais il y avait déjà surabondance. Très courtois, presque obséquieux même, Gelb accueillait révérencieusement les offrandes de ses fans. Il remerciait profusément pour chaque verre, et un bol de soupe qu'il n'avait nullement demandé l'émut presque aux larmes. Mais la soupe n'interrompit pas ses libations. On pouvait voir les muscles de sa gorge rose s'activer sans relâche.

Poignées de mains, napperons… Le challenger s'exécutait avec une bonne grâce détachée et patiente. Cela ne le dérangeait pas d'être au centre de l'attention. Je crus discerner en lui (en dépit du résultat) une légère déception: la partie avait pris fin trop rapidement. Comme si, nonobstant les boissons et l'euphorie générale, il eût largement préféré vivre cette heure devant un échiquier plutôt qu'à ce comptoir.

Il avisa mes notes.

«Vous étiez à la cérémonie d'ouverture, j'imagine?»

Je m'éclaircis la voix et me présentai.

«Otchik?, répéta-t-il. Je vous connais… C'est vous qui avez écrit cette histoire de grand maître dans un train.»

Ma nouvelle était parue deux ans auparavant.

«C'était dans *Oblost*?

– Non, dans *Literatournaïa Gazeta*.

– Ah oui, j'ai beaucoup aimé.»

Le grand maître de ma nouvelle n'avait pas d'autre nom que son titre et ne présentait aucune ressemblance avec un grand maître vivant. C'était la première fois que j'écrivais un texte ayant trait aux échecs.

«L'histoire de la station spatiale, c'était vous aussi?»

Elle était parue en feuilleton l'année précédente, dans une autre publication. Un ami, expliqua Gelb, lui en avait récemment offert l'édition compilée.

J'aurais aimé passer toute la soirée à boire et à converser. J'avais tant de choses à lui demander. Mais il avait des napperons à signer et moi je devais rendre ma copie sans tarder. Parvenu au seuil du restaurant, je jetai un dernier coup d'œil derrière moi et aperçus la gorge rose dont les muscles poursuivaient leur travail. Je songeai à Koroguine penché sur un échiquier dans sa chambre d'hôtel, peaufinant ses calculs, fourbissant ses futurs assauts. Le champion du monde n'était pas du genre à commettre deux fois la même erreur.

Je pris un taxi, regagnai le siège du journal et m'attelai à mon premier article, encore tout étonné de cette rencontre fortuite.

Chapitre 2

L'atmosphère du match et la rencontre avec Gelb m'avaient troublé. Est-ce pour cette raison que les deux nuits suivantes je dormis d'un sommeil agité et fantasque ? J'étais assailli de songes fiévreux. Je rêvai de Leningrad et de ses nuits blanches, du chat roux tigré de ma mère, d'une chanson apprise en primaire :

Nous sommes nés pour réaliser les contes de fées
Pour conquérir le vaste ciel bleu
La raison nous a donné pour armes des ailes d'acier
Et un moteur vrombissant à la place du cœur.

Dans un autre rêve, je vis mon ami d'enfance Alexeï. Le rêve était bref, statique et le lendemain matin je ne me rappelais rien hormis son visage blême, empreint de mélancolie.

C'était Alexeï qui m'avait appris les règles des échecs. Que je n'avais pas assimilées sans peine.

« Ce pion blanc peut capturer l'autre pion ? Mais ils sont sur deux colonnes parallèles.

– C'est parce que le pion blanc se trouve sur la cinquième rangée. Si un pion adverse avance de deux cases sur la colonne immédiatement voisine, le blanc a le droit de le capturer au passage. Et inversement, quand le pion noir a atteint la quatrième rangée. On appelle ça la prise *en passant*.»

Nous jouions de temps à autre, quand l'envie lui prenait. En général, il préférait le grand air, et taper dans un ballon. Grand, dégingandé, on lui voyait souvent des genoux cernés d'auréoles de crasse, et ses pantalons amples ou ses cheveux s'imprégnaient de la poussière amassée dans les rues. Il faisait de brusques écarts, sautait, dribblait. Il était capable d'accélérations stupéfiantes. Les autres garçons jalousaient ses prouesses qui captivaient aussi les chiens du quartier : quand il piquait un sprint, ils faisaient mine de le pourchasser en remuant la queue et en poussant des aboiements réjouis. Ni les averses ni même la neige ne semblaient à même d'endiguer son impétuosité : janvier-février, les mois que je consacrais à la lecture, il les passait à skis ou sur un traîneau.

Un jour d'automne, le ballon d'Alexeï cessa ses courses folles et le traîneau, l'hiver suivant, resta dans son jardin, à l'abandon. Je me rappelle les avoir trouvés inquiétants, le ballon dégonflé et le traîneau bringuebalant, dans leur immobilité d'épaves. Relégués.

C'est à cette époque qu'Alexeï, amaigri et secoué de quintes de toux, prit l'habitude de s'asseoir chaque jour devant son échiquier. Et il m'invita souvent à jouer avec lui.

Jamais nos parties ne laissèrent deviner quelque fatigue que ce fût, pas plus qu'Alexeï ne se laissa aller à la moindre confidence franche et directe. Les parties exprimaient une détermination farouche.

Peu à peu la santé de mon ami s'améliora, tout comme son jeu. Je peinais à me maintenir à son niveau. Le ballon et le traîneau ne revinrent pas de leur exil et Alexeï les oublia bientôt pour de bon. Il adorait son échiquier craquelé et ses petites pièces rudimentaires.

Son oncle, excellent joueur, passait régulièrement. Je les surpris un jour, l'oncle au visage rougeaud et le neveu, installés devant un échiquier à la table de la cuisine. La partie se solda par un match nul. Alexeï replaça les pièces et commença à jouer seul : il montrait à son oncle une partie qu'il avait récemment disputée avec moi. Alexeï se rappelait chaque coup. J'étais sidéré. Son oncle le regardait en frottant ses grosses joues et en hochant la tête. « Vous devriez vous inscrire aux pionniers, les gars, ils ont un super club d'échecs. » Apparemment il connaissait un maître qui y donnait des cours.

Ce maître s'appelait Arkady Dimitrievitch Golov. On disait de lui qu'il avait le don de reconnaître les jeunes talents et qu'une poignée de coups lui fournissait assez d'informations pour se forger un jugement. C'est ainsi qu'il avait détecté plusieurs futurs cracks, comme Ivchenko, alors champion junior de Leningrad.

Trônant dans la salle lumineuse du club, Golov nous demanda de jouer une partie. Il nous alloua à chacun cinq minutes pour exécuter l'ensemble de nos coups. Nous commençâmes pleins d'assurance, répétant des gestes familiers, mais au bout d'une minute, chaque mouvement nous mettait au supplice : nous sentions le regard de Golov fixé sur nos mains tremblantes. Les ombres de nos doigts étirés brouillaient la netteté des lignes de l'échiquier ; le tic-tac de la pendule nous vrillait les tympans. Dans ma précipitation, j'avançai ma Dame une case trop loin et au coup suivant Alexeï enfonça ma digue de pions. Le regard de Golov le trahit. Il cligna des paupières et sourit. « Beaucoup à apprendre », fit-il, toujours souriant, « beaucoup à apprendre », répéta-t-il quand la pendule cessa son tic-tac. Dans la confusion de ces mouvements précipités, il avait pourtant décelé un potentiel. Maître Golov n'était pas le seul spectateur. Une autre paire d'yeux avait observé notre partie : au-dessus du tableau d'affichage veillait un portrait de Koroguine, le triple champion d'URSS. À presque trente ans, il était probablement déjà le meilleur joueur au monde. On pouvait admirer sa coupe en brosse, ses lunettes à monture d'acier et ses lèvres fines dans tous les clubs d'Union soviétique. Aucun tournoi, aucun joueur, ne pouvaient échapper au patronage de sa mine sévère. Biélorusses, Ukrainiens, Géorgiens, Turkmènes, Ouzbeks, Kazakhs : le champion les surplombait tous. Maître Golov compris. Il était de ces professeurs qui ne passent rien à leurs élèves.

« Tes pions sont complètement dispersés. »

« Quel était au juste l'objectif de ton dernier coup ? »

« La sécurité mon garçon, la sécurité. Combien de fois te l'ai-je dit : autour de ton Roi, pas une case ne doit rester sans protection. Reprends ta pièce et réfléchis encore. »

Il n'aimait pas du tout qu'on promenât les Cavaliers aux périphéries de l'échiquier : c'était presque toujours mauvais.

Dans le style des savants et des penseurs allemands d'autrefois, il avait fait sienne toute une série d'axiomes et de restrictions rigoureux ; pour lui ce jeu était une science. Seule l'étude inlassable, combinée à des calculs sophistiqués, pouvait permettre de maîtriser la complexité du jeu d'échecs. Koroguine l'affirmait et maître Golov en était convaincu.

Dans les mois qui suivirent notre découverte du club, Alexeï et moi passâmes nos journées d'été entre ses quatre murs de brique et de verre, sans remarquer, ou si peu, l'arrivée de l'automne. Les axiomes étaient ressassés jusqu'à plus soif, auréolés de l'emphase théâtrale qui sied aux vérités éternelles et confortés par l'animosité que Golov manifestait envers l'insouciance et le manque de sérieux au jeu. Chaque leçon commençait et finissait dans une ambiance pleine de solennité. Des gamins de douze ans restaient assis en rangs compacts, en une posture réflexive qui ne se relâchait guère, au point que même la présence occasionnelle d'une fille ne leur inspirait pas la moindre blague déplacée. Lors des moments de silence, entre deux coups, je ne pouvais m'empêcher de rechercher une certaine légèreté – quelque chose, quoi que ce fût, qui aurait éclairé ces rangées de visages figés dans leur gravité. Alexeï, je m'en fis la remarque, était devenu le plus grave de tous.

L'apprentissage l'apaisait. Le bâtiment, un palais ayant jadis abrité la famille du tsar et voué désormais à l'éducation révolutionnaire des jeunes esprits, y était pour quelque chose. Des salles, disposées de part et d'autre de longs couloirs garnis d'épaisses moquettes. Beaucoup trop de salles, me semblait-il, pour un seul toit, pour cette unique adresse. Tout autour de nous ce n'étaient que plafonds surélevés, hautes fenêtres, bruissements feutrés de pas. La lumière jouait avec les statues miroitantes, les cadres dorés et les lustres imposants qui en démultipliaient les reflets. Chaque étage de l'immeuble était dévolu à une activité différente et les enfants répartis d'une pièce à l'autre en fonction de leur âge et de leur niveau. Dans une salle, au deuxième, des petits faisaient des additions et d'autres, un étage plus bas, des sauts périlleux. Les échecs avaient pris leurs quartiers dans l'espace lumineux du quatrième étage où mes petites jambes peinaient à me hisser : dès la seconde volée de marches je me faisais l'effet d'un pauvre escargot.

La majesté du club s'étendait à ses équipements : fermes et solides, les tables accueillaient, soigneusement dressés, des échiquiers et des pièces en bois massif. Elles étaient de bonne qualité, les échardes rares. Rien à voir avec les petites figurines usagées qui nous avaient permis, à Alexeï et moi, d'apprendre à jouer. Même les pions pesaient leur poids.

Pour illustrer chacune des leçons de maître Golov, les pièces, en quantités variables, avaient été placées sur l'échiquier en constellations énigmatiques. Semaine après semaine, mois après mois, le week-end ou le soir après l'école, ces configurations nouvelles et excitantes enflammaient notre imagination. Trois pions avancés en triangle sur les cases du centre. La leçon : les pions sont plus forts à plusieurs – un pion isolé est faible. Chaque mois l'échiquier changeait ainsi de visage. Deuxième rangée. Un Fou blanc attaqué par une Tour noire est contraint de se replier sur la première rangée, à côté de l'autre Fou blanc. Mais la Tour noire poursuit son attaque et les menace tous deux. La leçon : ne jamais laisser sans protection des pièces positionnées sur des rangées parallèles. Les jeunes élèves adoraient quand l'échiquier grouillait de figurines. Au cœur d'une zone dominée par les Noirs, un Cavalier blanc se sacrifie contre un malheureux pion. Le Roi noir, contraint de le capturer, s'avance à découvert : il est aussitôt attaqué par les Blancs. La partie s'achève en quelques coups sur une victoire des Blancs.

« Tchigorine… », commentait maître Golov. Puis, la voix vibrante d'enthousiasme : « … une partie typique de Tchigorine ». Il évoquait alors longuement le plus grand des maîtres russes du XIXe siècle. « À l'époque », disait-il d'un ton soudain plus sévère, « la vie était très dure ! » Tchigorine écrasait les plus grands joueurs du monde, mais il ne vendait pas 250 exemplaires de son petit magazine. « La censure… », murmurait le maître, oubliant que les plus jeunes d'entre nous ne connaissaient pas ce terme, encore que son ton fût assez éloquent. Puis brusquement, imitant un censeur impérial : « Vous ne pouvez pas écrire ceci, pas question d'imprimer cela ! » Il était en colère et tenait à le montrer. La police tsariste, poursuivait-il, forçait les clubs d'échecs à plier boutique. Il secouait la tête. « Il fallait se résoudre à partir jouer à l'étranger : en Suisse, à Monaco, à Cuba. » C'était la première fois que nous entendions évoquer de tels pays.

La Suisse ! Cela nous paraissait tellement exotique...

« Tchigorine n'avait pas un sou vaillant, bien sûr. Comment parvenait-il à joindre les deux bouts ? Je vais vous le dire : il était obligé de jouer dans des *cafés* pour quelques pièces ! » Et dans la bouche de maître Golov, le mot *cafés* rendait un son plus lugubre encore que *censure*.

Nous apprenions aussi la théorie. Tchigorine avait transmis aux générations suivantes certains acquis essentiels. Il y avait sa défense dans le gambit de la Dame (la préférée d'Alexeï) et sa variante de l'ouverture Ruy Lopez. Ce n'était qu'un début. Des conférences régulières étaient dispensées dans une salle réservée à cet usage. Les élèves y prenaient des notes, fébrilement. On potassait à fond l'ouverture Bird, la défense française, la partie écossaise ou la partie italienne. Ce n'était pas facile, des subtilités nous échappaient à l'occasion, on oubliait des détails. Mais il restait toujours une ambiance, une musique propre à chaque série de coups, un quelque chose que nous pouvions reconnaître et reproduire.

Qu'apprenions-nous d'autre ? L'élégance des Tours, la grâce avec laquelle elles accomplissent le moindre de leurs déplacements : d'un bout à l'autre d'une colonne, avec une fluidité parfaite. Et quand, au cours d'une partie, elles se déplaçaient horizontalement sur l'échiquier, de gauche à droite ou de droite à gauche, on aurait presque dit qu'elles lévitaient au-dessus des cases. Pansues et robustes, elles étaient pourtant si délicates, si aériennes dans leurs évolutions... Rapides aussi, elles surprenaient souvent l'adversaire par leur célérité. Deux coups tout au plus, voilà ce qui séparait chacune d'elles de n'importe laquelle des soixante-trois autres cases.

Les leçons du club, qui duraient toujours plus d'une heure et s'étiraient parfois, le week-end, sur plus de cinq heures, avec toutes les tensions et frustrations inhérentes aux échecs, nous procuraient pourtant d'immenses plaisirs. Nous grandissions avec le jeu, nous l'appropriant peu à peu. Ces moments de joie fugaces, d'émerveillement dans les parties que nous disputions ou analysions après coup, étaient pénétrés de sens. Le métier rentrait peu à peu. Et, à chaque leçon, le silence nous semblait un peu moins lourd : notre capacité de concentration se renforçait, les parties avançaient plus vite, les erreurs se faisaient moins fréquentes. Fermement mais avec patience, maître Golov rudoyait les étourdis, nous enseignant de nouvelles façons de voir et de sentir. Nous aimions notre maître, en dépit de ses réprimandes. Les rares fois où il tombait malade, en l'absence d'un autre professeur et sans personne pour éclairer notre lanterne, nous nous sentions perdus.

Il avait forgé avec chacun d'entre nous un lien fort. Une rivalité silencieuse s'était déclarée entre ses élèves : c'était à qui parviendrait à capter son attention et à susciter, par ses performances les plus brillantes, son approbation. Ainsi qu'il l'avait fait avec son oncle, Alexeï rejouait de mémoire ses plus beaux coups, des enchaînements assez spectaculaires, cette fois sous l'œil admiratif de maître Golov. Dans l'un de ces épisodes, je reconnus un jour mes propres erreurs. C'était lors d'un match informel disputé quelques mois auparavant au club, un soir. J'avais bien commis certaines de ces erreurs, en effet, mais je ne pus m'empêcher de noter avec intérêt qu'en les reconstituant, Alexeï les avait subtilement modifiées pour renforcer le caractère dramatique du dénouement. Non seulement sa mémoire avait-elle fait de ce souvenir une partie d'anthologie, mais il avait fini par la recréer entièrement. Que les élèves de maître Golov fussent capables de telles manipulations pour lui faire plaisir en disait long sur la reconnaissance qu'ils vouaient à leur professeur. Avec ses chemises bien repassées, ses ongles nets, son odeur de savonnette, Golov incarnait la vie de l'esprit. Et c'était cette vie qu'Alexeï et moi voulions vivre.

Nous trouvions d'autres plaisirs, d'autres rappels de cette vie-là dans la pièce poussiéreuse que nous avions baptisée la «bibliothèque». Ce n'était pas vraiment une bibliothèque. C'était, disait-on, la pièce où se tenaient les femmes de chambre à l'époque du tsar. Il ne s'agissait d'ailleurs là que d'une rumeur, mais je la prenais assez au sérieux pour imaginer les coiffes et les tabliers blancs s'activant autour de moi alors que je lisais – et je lisais beaucoup. Les échecs ont engendré une abondante littérature et le club avait accumulé une multitude d'ouvrages : sur les aspects stratégiques et tactiques, sur la force comparée du Cavalier et du Fou (l'auteur du livre en question jugeait l'alliance de la Dame et du Fou supérieure à celle de la Dame et du Cavalier), sur les finales. Ce décor de livres alignés contre les quatre murs avait recouvert les motifs du papier peint. La pièce sentait le moisi, les livres aussi, et leur fragrance suave et piquante, qui faisait écho à l'odeur de savon de maître Golov, me paraissait l'arôme même du savoir. Je m'y trouvais parfaitement à l'aise. Des volumes plus âgés

que le maître, pesants, bourrés de considérations philoso-
phiques, se mêlaient aux dernières éditions des frêles pério-
diques spécialisés. La collection du club comptait aussi parmi
ses joyaux un exemplaire roulé de l'ouvrage de Tchigorine
intitulé *Feuille d'échecs*, imprimé soixante ans plus tôt et qui
avait échappé à la censure. Je passais des heures à lire où je
perdais toute notion du temps. J'essayais de reconstituer le
cours des pensées de tel joueur, anticipais le coup suivant,
tremblant d'excitation à l'idée du formidable sacrifice qui se
préparait… Les pages épaisses crissaient sous l'ombre rose de
mon pouce, qui volait de l'une à l'autre.

Tout autant que les mots (analyses et exposés dont
l'impression, médiocre, avait bavé) je scrutais attentivement
les illustrations. Les pauvres Rois noirs y ressemblaient bien
souvent à des pâtés noirâtres. Il fallait se souvenir que la trace
d'encre à peu près effacée, dans un coin de l'image, représentait en principe une Tour blanche. Ces images étaient à
la fois familières et étranges. Familières car les positions
qu'elles reproduisaient avaient été celles de grands maîtres.
Elles possédaient les caractéristiques communes à toutes les
parties inachevées : les pions essaimés sur la largeur, quelques
pièces occupant ou lorgnant le centre de l'échiquier, lui-même
divisé en zones d'influence noire ou blanche. Étranges, parce
que souvent, le rôle de telle ou telle pièce dans le tableau me
semblait obscur. Cette Dame blanche par exemple, qui faisait
penser au gribouillage d'un fonctionnaire oisif, que fabri-
quait-elle sur cette case précise ? Par quel concours de circonstances avait-elle pu se retrouver là ? Presque toutes les images
finissaient par céder à mes efforts d'investigation, mais il en
restait deux qui me résistaient obstinément. Leur étrangeté me
sidérait. J'étais incapable de comprendre les raisons profondes
expliquant la position de ces pièces.

Il est des choses que tous les maîtres savent. Pour maître Golov, la position de la Reine blanche, si pauvrement reproduite dans ce magazine d'échecs, aurait eu un sens. D'un coup d'œil il aurait reconnu ici un attaquant, là un défenseur, ici un leurre, là une erreur. Cette vision résultait d'innombrables parties et de la lecture de nombreux ouvrages. Une vie entière d'apprentissage. Dans sa jeunesse, le rayonnement du jeu était plus confidentiel encore. Les joueurs avaient rarement l'opportunité de publier leurs découvertes ou de rencontrer leurs homologues, que ce fût en petit comité ou lors de réunions plus larges. Il avait pris des risques : des ouvrages d'échecs clandestins lui étaient passés entre les mains. Il avait échangé des lettres avec quantité de joueurs, des missives au contenu souvent sommaire, parfois même négligé, rarement original ou profond, mais qui ne perdait jamais de vue l'essentiel. Leurs idées réduites à des raccourcis, des répétitions cent fois assénées avaient eu pour effet d'accélérer et de stimuler la curiosité de Golov.

Des générations de ces maîtres composant une société minuscule mais ordonnée avaient, par adjonctions successives, alimenté la source de cette curiosité. L'un après l'autre, ils s'étaient transmis cette connaissance énorme et confidentielle, un héritage dont Golov se considérait comme le dépositaire. Mon expertise, à moi qui étais alors son élève, était incomparablement plus réduite. Malgré tout le plaisir que j'en tirais, j'étais bien incapable d'en apprécier les plus subtils détails, d'entrevoir les multiples richesses que maître Golov savait y puiser. Alexeï, lui, le pouvait. Son nom figurait régulièrement en tête du palmarès des tournois, dont je n'occupais en général que la troisième ou la quatrième place. Il avait l'art de convertir en points le manque de rigueur et la fébrilité de ses adversaires. À l'âge de treize ans déjà on disait de lui qu'il avait, à tout le moins, l'étoffe d'un grand maître. Pour cette raison, l'État lui versait une rétribution mensuelle de cent roubles (à une époque où un gros pain valait un demi-rouble). Le respect que lui témoignaient ses camarades était à la mesure de la brillante destinée qui l'attendait.

Impitoyable envers les joueurs les plus faibles du club, agressif quand il gagnait, Alexeï était un vainqueur imbuvable. Il houspillait ses adversaires malheureux, leur reprochait avec véhémence leurs fautes tactiques : « Je n'arrive pas à croire que tu aies ouvert une fois encore par le pion-Roi. Tu n'écoutes donc pas les conférences ? Tu n'étudies pas les livres ? Ouvrir par le pion-Roi, mais plus personne ne fait ça depuis des lustres ! Trop risqué, trop voyant. C'est une tactique de butor. Ce pion-là doit bouger plus tard, tout le monde sait ça. Ou devrait le savoir, en tout cas. Tu dois ouvrir avec le pion-Dame. Si c'est bon pour Koroguine, c'est bon pour nous. C'est la science. Rien ne sert de contester la science. »

Les autres enfants du club devinrent donc des adeptes du pion-Dame. Ils singeaient l'assurance d'Alexeï. Ce qui, bien sûr, ne les aidait guère. Et, pour certains, aggravait même leurs résultats.

C'est contre mon ami que j'ai joué mes meilleures parties. La soif d'apprendre l'emportait sur la peur de perdre car face à lui, même mes défaites étaient riches d'enseignements. Chaque fois qu'Alexeï gagnait, une part de moi le haïssait mais l'admiration prenait toujours le dessus. Quand il refusait le nul, j'avais envie de lui coller une droite et presque au même moment d'applaudir. Désireux d'affirmer ce que je valais face aux cent roubles mensuels qu'on lui allouait, mais aussi de consolider ce que j'avais appris, je me refusais à le copier comme tant d'autres, et m'efforçais de jouer chaque coup en suivant mes propres intuitions. J'affirmais mes idées, je prenais des risques cohérents avec ma stratégie. La tension que j'y trouvais était extraordinairement excitante, ma concentration ne flanchait jamais, pas plus que la sienne. Je prenais comme un hommage son front plissé et ses lèvres pincées. Parfois, au cœur des situations les plus disputées, nous entrions tous deux dans une sorte de transe, état fugace d'oubli de soi qui nous amenait, points et fierté mis entre parenthèses, à jouer pour le seul bonheur du jeu. Les Tours survolaient l'échiquier, les pions glissaient d'une case à l'autre et la silhouette de la Dame blanche se détachait fièrement. Mais cet état ne durait jamais longtemps. Une minute, ou trois, ou cinq, et je me voyais ramené à la réalité des cent roubles, perdant toute illusion de dominer le jeu. «Échec et mat», annonçait-il lentement, et distinctement, comme s'il lisait à haute voix. Dans ces moments-là, pas question de moquerie.

Nos dernières parties au club – à quatorze ans nous faisions office de vétérans – coïncidèrent avec la nouvelle de l'ultime triomphe de Koroguine: il avait décroché le titre de «champion soviétique absolu» en battant les cinq grands maîtres les plus titrés du pays. Cette nouvelle me déçut; depuis longtemps déjà je m'étais lassé de son air grincheux. J'avais misé sur le challenger mais devant mes camarades je dus simuler la joie. Maître Golov, porteur de la nouvelle, leva ses paumes en une sorte de geste prophétique et déclara: «Rappelez-vous ce que je vais vous dire: il sera le prochain champion du monde.» Un peu plus tard, au cours de la même leçon, il ajouta de la même voix solennelle: «Champion du monde, c'est certain, dès que les étrangers en auront fini avec leur guerre.» Par étrangers il voulait dire les Allemands, les

Italiens, les Anglais, les Français. Il ne prononça jamais les mots « fasciste » ou « nazi ». Ce fut la seule fois qu'il mentionna les événements en Europe.

L'allégresse qui régnait au club fut renforcée par la rumeur d'une célébration officielle. Et la rumeur avait raison puisqu'une semaine plus tard, maître Golov annonçait une journée nationale en l'honneur du Champion suprême. Les préparatifs furent fébriles. Les fresques du club, un ensemble intitulé « Magie de l'enfance » accolant arbres difformes et dragons ventripotents, se virent gratifiées d'une restauration express. On écrivit, on répéta des discours. On trouva même de quoi nourrir les invités : pirojki suintants, gros cornichons incurvés, tartines de pain de seigle enduites de confiture.

Un invité missionné par « les autorités » se présenta. Vêtu d'un costume informe, il admira les fameuses fresques, écouta les discours et fit tomber de la confiture sur sa jambe de pantalon. Avant d'annoncer qu'il désirait jouer. Nous attendîmes sous son regard scrutateur. Pas les filles, s'est-il sans doute dit alors. Ni les garçons les plus jeunes. Mais pas non plus les grands. Les malades, les boiteux, pas question. Ce qui ne lui laissait pas beaucoup de choix. Il me désigna.

N'ayant jamais disputé une partie contre un adulte, j'étais empli d'appréhension. Mais maître Golov, qui avait prévu cette situation, nous avait donné des consignes. Ses mots me revinrent en mémoire au moment où je prenais place devant l'échiquier : « S'il demande à jouer, alors très bien. Ne faites pas semblant. Jouez comme vous l'avez toujours fait. Il est hors de question qu'un de mes élèves escamote une partie ! » Ce ne fut pas sa seule directive pleine de bon sens, loin de là : son discours, inhabituellement prolixe et désordonné, multiplia les instructions. « Laissez-lui le temps de réfléchir, gardez vos pièces importantes en retrait, s'il propose le nul, acceptez!»

Quel intérêt ce bureaucrate pouvait-il bien trouver aux réflexions tactiques et différents schémas de jeu – cet homme au quotidien entièrement voué à la rédaction de rapports et à l'élaboration de plans quinquennaux? Représentaient-ils une simple distraction, un passe-temps, une pause dans sa routine de fonctionnaire? Le jeu n'était-il qu'une formalité dont il avait à s'acquitter *a minima*? Un prétexte pour donner libre cours à sa mauvaise humeur? Sans dire un mot, sa chaussure de cuir battant la mesure sous la table, il commença à jouer.

Par respect pour les consignes de maître Golov, je masquai plus ou moins ma science, jouant lentement et passivement. Mais il fallait manier l'apparatchik avec précaution. Il était important qu'il ne discernât aucun relâchement dans mon effort et que chacun de mes coups lui parût «bon». L'imprécision était périlleuse, toute bévue risquait d'avoir l'air d'un aveu de mépris. Et si j'entrevoyais une tactique originale ou audacieuse, je savais qu'il ne faudrait surtout pas m'y laisser aller.

Le bureaucrate me compliqua la tâche. Il était évident, d'après ses premiers coups, que son niveau était à peu près nul: on les aurait crus sortis d'un manuel pour débutants, si ternes et limités que je me demandai comment réagir au mieux. Des répliques trop brillantes n'allaient-elles pas souligner plus encore ses insuffisances? Une réponse médiocre à un coup médiocre ne risquait-elle pas de passer pour une insolence? Enlisé dans mon indécision, alors même que je tentais quelque chose, j'entendis soudain mon adversaire se racler la gorge. Et j'étouffai un ouf de soulagement à la pensée qu'il allait proposer un nul.

Mais rien ne vint. J'avais mal entendu. Il s'était contenté de cracher un peu de salive dans un mouchoir. Il continua à déplacer ses pièces de case en case comme s'il appliquait un plan de bataille dont on ne percevait qu'une vague esquisse, un schéma tactique peut-être appris autrefois dans son manuel pour débutants. Une sorte de prélude à une stratégie digne de ce nom, mais en l'occurrence inapplicable et absurde. Mon instinct me commandait de capituler. La partie, affreuse, se réduisait à une succession de coups franchement mauvais, au mieux médiocres. Un supplice. Mais abandonner en de telles circonstances constituait une option expressément rejetée par maître Golov : « Hors de question qu'un de mes élèves escamote une partie ! » Si bien que, mobilisant toutes les réserves de patience dont je disposais, je persévérai et pendant toute l'heure qui suivit, tentai de garder la partie sur les rails en évitant de verser dans l'insolence ou l'humiliation.

Le dernier coup du bureaucrate inspira à Alexeï et aux autres enfants des gloussements contagieux et je dus cacher mon visage dans mes mains. Il avait avancé un pion sur une aile, mouvement dénué de sens à ce moment de la partie. Alexeï, dans ses accès de mauvaise humeur, ne se gênait pas pour tourner ce genre de coup en ridicule. Il appelait même ça d'un nom que tous les enfants connaissaient par cœur : le pet de mouche.

L'homme resta absolument étanche à ces rires étouffés. À moins que son calme apparent n'eût été trompeur ? Juste après avoir joué, je crus lire sur son visage une imperceptible crispation. Sa montre-bracelet fit une soudaine apparition. Quelques minutes plus tard il se levait brusquement, se tournait vers maître Golov et s'excusait, prétextant une affaire urgente. Il était temps pour lui de partir. En hâte, sans se retourner, il s'éloigna, suivi quelques instants plus tard par son chapeau, dans la main d'Alexeï, qui tenta de le rattraper.

Quatre semaines plus tard, le 22 juin 1941, l'Allemagne lançait son armée à l'assaut de l'Union soviétique, bafouant le pacte de non-agression. Les deux années de siège qui s'ensuivirent réduisirent à l'état de décombres une bonne partie de la ville, ses hôpitaux, ses écoles et ses clubs. Alexeï fut tué. Maître Golov également.

Quant à moi, il me fallut plus de dix ans pour retrouver l'envie de jouer.

Chapitre 3

Le championnat du monde d'échecs reprit le jeudi 17 mars à 16 heures. Cette deuxième partie suscita auprès du public un intérêt aussi soutenu que la précédente. Au premier balcon, les visages au-dessus des tenues de travail arboraient une mine réjouie. Les sacs à main des premiers rangs, si distrayants fussent leurs contenus, restaient fermés. Tous les regards étaient fixés sur les joueurs.

C'était au tour du champion d'ouvrir la partie, avec les Blancs. Plongé dans un brouhaha de murmures, l'auditorium spéculait fiévreusement sur son premier coup. Koroguine allait-il attaquer sur l'aile Dame ou l'aile Roi ? Pas une seule fois, lors de ses quatre derniers matchs, il n'avait ouvert par le pion-Roi. Il ne changea pas de stratégie. Koroguine avança le pion-Dame, une ouverture classique.

Un nouvel accessoire trônait sur la table, jouxtant le coude du champion : une bouteille thermos apparemment neuve et dûment mise à contribution. Très régulièrement, Koroguine se versait du café bouillant dans une fine tasse de porcelaine. Quand il buvait, le champion ne se penchait pas vers l'avant, sa bouche ne partait pas à la rencontre de la tasse. Ses lunettes restaient bien stables sur son nez et sa posture, sur la chaise, parfaitement droite. Tout en réfléchissant à son prochain coup, il soulevait la tasse, soufflait sur le café et en avalait une gorgée. Il versait et buvait sans désemparer. Pourtant, détail étonnant pour un homme de cinquante ans, il ne se leva pas une seule fois de toute la partie. Les pieds de sa chaise ne bougèrent pas d'un centimètre.

Gelb, lui, comme la plupart des grands maîtres, n'était pas un buveur de café. Il fumait sur scène grâce à une dérogation exceptionnelle. Entre chaque cigarette, attendant son tour, il arpentait la scène de long en large, sous les yeux du public qui pouvait voir monter les volutes de fumée. Du côté qui lui était réservé, il marchait d'un pas rapide, partant du rideau de coulisse jusqu'à presque buter contre sa chaise, soit environ sept mètres – quatorze ou quinze aller-retour. Il y avait de la fébrilité, voire de l'agitation, dans son attitude. Rien en tout cas qui ressemblât au comportement d'un joueur menant au score.

La victoire du challenger dans la première partie avait surpris. Peu de commentateurs avaient envisagé cette possibilité et les pronostics avancés çà et là ne laissaient nullement présager ce résultat. Gelb, leader depuis quarante-huit heures, avait-il pleinement endossé son nouveau rôle? À le regarder parcourir la scène dans toute sa largeur, on aurait dit quelqu'un qui essaie une nouvelle paire de chaussures. D'après mes calculs, il avait dû couvrir pas loin d'un kilomètre et dans le même temps, la consommation de café du champion sortant avait sans doute atteint le litre.

On entendit un heurt sonore sur l'échiquier. Le champion venait de jouer son vingt et unième coup. Deux cases blanches du grand échiquier-témoin pivotèrent et une nouvelle configuration apparut. La plus basse des deux, où se tenait auparavant un Fou blanc, était redevenue vierge. Sur la plus haute, le Fou noir avait changé de couleur. Gelb, sur le côté, qui tirait nerveusement sur une cigarette, ne revint pas aussitôt. Il savait la prise de son Fou inévitable et il avait, en outre, exactement mémorisé la position des pièces : quand bien même il aurait tourné le dos à l'échiquier, il pouvait à tout instant en contempler une réplique mentale quasi photographique. En l'espace de vingt et un coups, le paysage de l'échiquier avait connu plus de quarante modifications, dont huit prises. Il restait vingt-quatre pièces diverses, douze de chaque couleur et quelque trente coups possibles à jouer avec pour chacun d'eux, quel qu'il fût, de nombreuses ripostes à la disposition du champion. Le bout de la cigarette de Gelb vira au rouge vif. Les positions, à ce stade, étaient équilibrées, le verdict des pendules aussi : les deux joueurs avaient utilisé exactement cinquante-cinq minutes chacun. Gelb, sa cigarette enfin écrasée, parcourut les six ou sept mètres qui le séparaient de la table, se rassit et proposa un nul. Koroguine tiqua, secoua sa tête volumineuse. Les règles du match stipulaient en théorie qu'on ne pouvait proposer de nul sans avoir préalablement joué son coup. Le protocole venait d'être égratigné, ce qui n'était pas bien grave, mais le champion n'était pas d'humeur à se montrer arrangeant. Il est vrai que le foisonnement des règles présidant au match décuplait les occasions de dérapage. C'était d'ailleurs le champion lui-même qui avait imposé le règlement, avant de le faire avaliser par son challenger. La Fédération internationale d'échecs veillait certes à la conformité des parties, mais ce pointilleux règlement sur mesure, en principe censé assurer un traitement équitable aux deux joueurs, permettait à Koroguine de souligner sa prééminence. Il peut sembler étrange que le challenger fût ainsi contraint de se soumettre à un règlement élaboré par son adversaire mais

Gelb, épuisé, à l'automne, par le marathon des qualifications, avait signé aussitôt sans chercher à négocier ni à pinailler sur tel ou tel point. La préparation des matches précédents avait pourtant donné lieu à semblables marchandages, et tout le monde s'attendait, ici aussi, à de longues et fastidieuses disputes procédurières entre le tenant et son jeune rival. La déférence de Gelb envers Koroguine avait étonné jusqu'à son entraîneur, Koblents. Peut-être le challenger avait-il résolu d'abandonner au champion son obsession régulatrice, préférant se concentrer sur les parties à venir et le plaisir qu'elles lui promettaient. « Résolu » était d'ailleurs sans doute un terme trop fort. Vis-à-vis d'un adversaire assez âgé pour être son père, le geste de Gelb ne traduisait peut-être rien d'autre qu'une courtoisie instinctive : déférer aux exigences du champion ne relevait-il pas du respect élémentaire dû à l'aîné ?

Il était six heures moins cinq. Deux minutes plus tard, le coup de Gelb venait étayer sa proposition de nul. L'impair était réparé, vite et bien. L'offre s'accompagnait désormais d'un strict respect du protocole. Et cependant le champion la déclina. Ses longs doigts délicats recommencèrent à jouer avec la tasse de café. Gelb se leva et reprit sa déambulation.

Un demi-kilomètre plus tard, et après peu ou prou trois heures d'affrontement supplémentaires – trois heures de lassitude apparente de chaque côté –, la proposition de nul fut accueillie par Koroguine d'un signe de tête favorable. Le deuxième point serait donc partagé : un demi-point pour le champion, un demi-point pour le challenger.

En sortant de l'auditorium, je butai contre le grand maître Romanovsky. Que pensait-il de la partie qui venait de prendre fin, lui, l'ex-champion d'URSS, aujourd'hui âgé de soixante-dix ans et devenu l'un des commentateurs de la salle de presse ?

J'espérais pouvoir le citer dans mon article. Il dit quelque chose à propos du trente-cinquième coup. Gelb avait eu une belle opportunité, un échange de Tours, mais l'avait écartée. Et s'il avait accepté l'échange? Non, ça n'aurait rien changé au résultat. Ce n'était pas un coup sérieux, juste un petit stratagème destiné à amuser la galerie, à faire joli sur l'échiquier. Oui mais d'habitude, c'est le genre de chose que Gelb ne se refuse pas.

Romanovsky me souhaita une bonne soirée. Le théâtre vide me parut triste.

Chapitre 4

Restituer l'atmosphère du match constituait l'un des principaux objectifs de mes articles. Au même titre qu'une nouvelle, les échecs ont leur vie intime que je tenais, par mes comptes rendus, à retranscrire. Dès le début, la confrontation entre le champion et son challenger avait pris une tournure romanesque dont je me fis l'écho fidèle, soucieux de ne pas trahir cette dimension plus profonde.

Après chaque partie je retournais au journal pour y rédiger mes articles *in extenso*, jusqu'à une heure tardive. Le temps m'était compté et je ne pouvais m'appuyer que sur mes souvenirs, hors les notes griffonnées à tel ou tel moment du jeu pour soulager ma mémoire. Cliquètement des machines à écrire, trilles des téléphones, blagues des journalistes : l'atmosphère du bureau n'avait rien de commun avec celle qui régnait au théâtre. Pourtant le bruit ne me dérangeait pas. Il donnait au contraire un relief accru à mes souvenirs. Le contraste entre le brouhaha de la rédaction et le silence du théâtre me grisait. Les phrases se formaient spontanément dans mon esprit.

Les grands maîtres de mes articles parcouraient des kilomètres à pied, avalaient des litres de café et faisaient claquer les pièces à chaque déplacement. Avaient-ils encore quelque chose en commun avec les deux êtres de chair dont ils portaient le nom ? Bien sûr que non. Ils marchaient plus vite, buvaient plus goulûment, jouaient plus bruyamment. Leurs doigts étaient plus longs, leurs yeux plus intenses, leur tête plus grosse que nature. J'avais également pris soin d'expurger du récit les quintes de toux venues de la salle, entre autres parasites sonores, et condensé la temporalité des parties ; leur déroulement abrégé, inégal et dès lors moins oppressant, faisait ressortir certaines phases particulières. Seuls les coups, de la réalité au texte, étaient reproduits à l'identique.

Mais leur énumération ne représentait qu'une petite part de mon travail. J'écrivais pour une publication nationale dont les lecteurs se comptaient en millions. Mes articles devaient séduire toutes les catégories sociales et tous les âges. Chacun, expert ou béotien, devait pouvoir y trouver de quoi satisfaire ses attentes. Les noms des stars, Koroguine et Gelb, devaient donc occuper dans le texte une place prépondérante et le jeu, plutôt qu'une simple succession de coups, devenir sous ma plume une mine de tics, de réflexions et de psychologies singulières à observer et à décrypter.

Comme pour toute nouvelle, il me fallait ménager quelques ralentissements. En acceptant cette commande, j'étais bien conscient que certains papiers seraient plus épineux à écrire que d'autres. Un gros titre sanglant sera toujours plus vendeur qu'une litote ; de la même manière, le public veut des victoires et des défaites, pas des matches nuls. Les nuls ont très mauvaise presse. Quand on leur pose la question, les journalistes spécialisés maugréent qu'un nul ne fait pas un bon article. Parlez-nous d'attaques foudroyantes, d'offensives au pas de charge, de débâcles incroyables ! Qui a envie de lire le compte rendu d'une partie de couards qui terminent ex æquo ? Mais un championnat étalé sur deux mois ne se conforme jamais à une arithmétique strictement binaire. La fatigue et l'indécision, entre autres faiblesses humaines, se conjuguent pour la contrarier.

Il arrive cependant qu'un nul couronne de plus nobles ardeurs. Ainsi lorsqu'une intuition originale réduit à néant la stratégie potentiellement victorieuse de l'adversaire; ou que le nul récompense l'obstination devant une série de cuisants revers. Des parties aboutissant à une impasse après une succession de coups d'égale efficacité ou encore le délicat ballet d'une défense méticuleusement élaborée, voilà des scénarios tout aussi dramatiques, en puissance, qu'une victoire ou une défaite. Et ils foisonnent autant d'idées qu'un succès écrasant. Il est d'ailleurs permis de penser que certains nuls auraient mérité de meilleures appréciations que bien des triomphes.

Telles étaient mes pensées, au matin de la cinquième partie. Après un premier point (entier) offert au challenger, le championnat, en bon parent soucieux d'équité à l'égard de ses enfants, avait impartialement distribué les trois points suivants. Trois nuls d'affilée, mais quelles parties! Jamais le challenger n'avait encore été à ce point poussé dans ses retranchements.

À deux reprises, dans deux parties distinctes, le champion avait paru sur le point de l'emporter mais par deux fois, Gelb avait découvert les ressources nécessaires pour en réchapper. On avait retrouvé là le style froid, clinique et asphyxiant de Koroguine, qu'il avait réussi à imposer à son jeune rival. Moins vendeurs, on l'a dit, les nuls exigeaient qui plus est des commentaires plus détaillés, ce qui n'enchantait guère les journalistes spécialisés, vu le peu de temps dont ils disposaient pour écrire leurs articles. On pouvait toujours, néanmoins, retracer dans ses grandes lignes l'évolution du match. Les trois nuls avaient révélé un champion qui montrait, malgré sa mine perpétuellement contrariée, une aisance grandissante et un challenger cédant de plus en plus de terrain. L'expérience faisait petit à petit valoir ses droits. Aux supporters du tenant du titre, nombre d'indices laissaient espérer une issue favorable.

Je me trouvais au bureau après une conférence de rédaction, mes collègues s'affairaient quand un type du courrier des lecteurs s'arrêta devant moi, sourire aux lèvres. Pouvais-je lui donner un coup de main ?

De nature, les Soviétiques sont d'ardents épistoliers mais depuis deux semaines, leur enthousiasme ne connaissait plus de limites. Les sacs postaux qui arrivaient au journal s'étaient sensiblement alourdis. Déposés sur une chaise ou contre un mur par le facteur, ils ne s'affaissaient plus sur eux-mêmes, comme avant. Plus des trois quarts des cartes postales et missives concernaient le championnat du monde. Nous nous mîmes au travail, le préposé et moi, après avoir vidé par terre le dernier sac. Un torrent de lettres dégringola et s'étala à nos pieds, formant une sorte de congère. Les cartes et lettres destinées à la page des commentaires furent rassemblées en un petit tas. Les recettes de cuisine constituaient une pile peu épaisse. Les courriers adressés au rédacteur en chef se montaient à une vingtaine. Il y avait aussi quelques lettres pour la page enfants, le cahier sport (celles marquées « football ») ou encore le concours de mots croisés.

Mais c'était la rubrique échecs du journal, avec son problème à résoudre, qui s'avérait de loin la plus populaire. Décrivant les positions dans la troisième partie, après le trente-troisième coup des Blancs, elle avait invité les lecteurs à suggérer aux Noirs la meilleure réplique possible. Appel qui avait suscité en retour autant de tactiques payantes, ou sans doute payantes, que d'idées loufoques. Ces lettres venaient parfois de très loin – Samarkand ou Irkoutsk. Non sans peine et d'un pas mal assuré, nous portâmes le tas des solutions jusqu'au bureau approprié, en en semant quelques-unes en chemin. Ce qui nous mena à la dernière catégorie, de quoi remplir des tiroirs entiers : les lettres adressées à mon intention. Des réactions à mes articles. Elles portaient des cachets postaux aussi variés que les solutions possibles au problème d'échecs. Je n'arrivais pas à le croire : comment pouvait-il y en avoir autant ? Mes premiers comptes rendus avaient suscité une récolte bien plus maigre. Et les derniers ne m'avaient paru en rien plus aguicheurs… Comportaient-ils une particularité qui aurait pu expliquer ce désir des lecteurs de nous confier leurs réflexions ? Mon collègue se proposa de m'aider à dépouiller le courrier. Il sortit un petit objet luisant – un coupe-papier – et je ressentis envers cet objet un soudain élan de gratitude. Sa lame aiguisée, maniée avec habileté, ces petits gestes minutieux qui me rappelaient l'écossage des petits pois, eurent facilement raison des bruissantes enveloppes. À l'évidence, l'homme était un expert en ouverture de lettres.

Son coup d'œil n'était pas moins infaillible. Il extirpait chaque feuille de papier, l'approchait de son visage et assénait promptement son diagnostic : « balivernes » (quand par exemple chaque phrase était écrite en majuscules), « pédant » (si elle était brève et commençait par « je crois de mon devoir de vous écrire pour vous signaler… »), « perte de temps » (plusieurs pages couvertes d'une petite écriture serrée et ponctuées de points d'interrogation). D'autres lettres, nombreuses, alternaient remarques judicieuses et compliments sympathiques. Sans parler des surprises. À la vue d'une page couleur lilas, l'homme pouffa : une demande en mariage... Je rougis. « Non, non, pas pour toi », ajouta-t-il aussitôt, « c'est pour Gelb ». Apparemment, l'impétrante espérait que je la misse en relation avec le challenger.

Je remerciai l'homme de son aide.

J'avais enfilé mon pardessus et j'étais déjà à la gare en esprit quand il me rejoignit, une autre lettre à la main.

« Tu t'en vas déjà ? » La lettre n'était pas ouverte. « Je pensais que la visite était pour demain. »

La visite d'une usine spécialisée dans la fabrication de jeux d'échecs. Cela faisait quelque temps que je me demandais où étaient fabriquées les pièces du match. À plusieurs reprises, j'en avais parlé avec mon rédacteur en chef, essayant de lui arracher la permission d'y faire un reportage. Sans succès. Peut-être craignait-il que les bureaucrates ne donnent pas leur autorisation ; ceux-ci n'aimant guère ouvrir leurs portes aux fouineurs. Ou peut-être ne voulait-il pas remplir tous les formulaires relatifs à une telle demande. Et puis soudain, la semaine précédente, sans aucun signe annonciateur, l'invitation était tombée. Nous devions probablement cette initiative à l'instante sollicitation de la section locale du Parti : une usine qui fait des jeux d'échecs a comme toutes les autres des objectifs à remplir. Un peu de réclame dans un journal ne peut pas nuire au moral de ses travailleurs. Ma visite avait été confirmée lors de la dernière conférence de rédaction. Je ne me rappelais pas si mon collègue y avait assisté.

« Non, on est jeudi aujourd'hui. » Je fouillai dans la poche intérieure de mon pardessus et en sortis mon agenda. « Voilà. Jeudi 24 mars. Reportage à l'usine. »

La firme en question avait pour autres produits-phares les crayons de papier. Avec les pièces d'échecs, le site en produisait chaque année des millions. Il n'était guère surprenant qu'ils fussent fabriqués au même endroit et se vissent accorder une égale importance. Après tout, ils remplissaient la même fonction : se découvrir soi-même, reproduire et propager des idées, transmettre des découvertes. Intriguer. Étonner. Divertir. La pièce d'échecs et le crayon étaient à l'esprit soviétique ce que le marteau et la faucille représentaient pour son corps. Du reste les campagnes d'inscription aux clubs d'échecs avaient été lancées conjointement avec les campagnes d'alphabétisation. Dix ans après la révolution, les affiches de propagande appelaient les cueilleurs de coton à «Brandir les crayons!» Les maîtres d'échecs avaient été envoyés à la campagne pour promouvoir le jeu. Sous l'ancien régime, les trois quarts des sujets du tsar ne savaient ni lire, ni écrire. Leur éducation en était restée à un stade plus que rudimentaire. L'analphabétisme, désormais, était relégué dans les livres d'histoire. Quant au nombre de joueurs d'échecs recensés, il s'élevait à trois millions.

L'enveloppe ne portait ni timbre ni cachet. Elle avait été déposée à la réception du journal avec comme seule indication du destinataire mon patronyme – écrit d'une encre noire et baveuse. À l'intérieur de l'enveloppe je reconnus la même encre noire sur un élégant papier à en-tête. Je me renversai dans mon fauteuil et lus. Elle venait de Gelb.

Sous l'adresse de l'hôtel Moskva, où chacun des deux joueurs s'était vu attribuer une suite, l'écriture manuscrite de Gelb enroulait boucles et entrelacs. J'eus quelque peine à la déchiffrer. Plusieurs mots dont je m'efforçais de deviner le sens livraient à une deuxième ou une troisième lecture des significations différentes. Finalement le message s'éclaircit :

Cher Vassily,

J'ai lu vos articles à voix haute au Maestro et il a ri presque autant que moi. Les «portraits en mots» sont les plus réussis. J'ai particulièrement apprécié ce que vous avez écrit à son sujet dans la salle de presse, à propos de son «nez sympathique». J'avoue que je n'arrête pas de le taquiner là-dessus...
Je me demande si quelqu'un a montré vos articles à Koroguine. Qui sait? D'après ce que j'entends dire, ce n'est pas un grand lecteur. Quoi qu'il en soit continuez votre bon travail...

Votre dévoué personnage,
Mikhail Nekhemievich Gelb

«Maestro», l'un des mots sur lesquels j'avais buté, était le surnom donné par Gelb à son coach, Koblents. Était-ce ce dernier qui avait déposé la lettre au journal?

Dans le train, je relus la lettre. La forme des caractères n'était pas celle, petite et serrée, qu'on enseigne à l'école primaire. Ferme et fluide, cette graphie dénotait une confiance assortie à la jovialité du ton. Confiance qui me parut toutefois quelque peu empruntée. Un examen plus attentif du verso de la lettre, éraflé et percé par endroits, révélait que le stylo avait été posé sur le papier avec une force excessive. Je continuai à tenir devant moi la lettre, assez longtemps, la face éraflée vers le haut, alors même que je regardais maintenant par la vitre. Je ne la reposai sur mes genoux que lorsque le contrôleur se présenta. Pourquoi Gelb m'écrivait-il? Quelle idée avait-il en tête?

Immeubles grisâtres, murs trapus et angles droits firent bientôt place à la forêt hivernale; sapins et épicéas emplissaient tout le rectangle de la vitre. Les rainures et les reliefs des écorces offraient à l'œil une impression plaisante. Les troncs n'étaient pas tout à fait rectilignes, ce qui faisait aussi leur charme. Penchés de toutes les façons possibles, ils semblaient çà et là pressés les uns contre les autres et beaucoup s'inclinaient vers les fenêtres du train, comme s'ils cherchaient à saisir quelques bribes de conversations entre les passagers. De côté et d'autre on discernait, alanguies, des branches plus fines aux reflets verts, avec leurs délicates aiguilles, et je crus apercevoir des hulottes qui nichaient là. Tandis que le train continuait son ferraillement lancinant, la lisière des arbres recula et la vue se dégagea. Pas le moindre souffle de vent sur les cimes. Le ciel qui emplissait de son gris laiteux le tiers supérieur de la vitre se mit soudain à coaguler et peu après, à s'écailler. Il neigeait, une neige qui tombait à gros flocons mais avec légèreté, sans donner le moindre signe de précipitation, presque nonchalamment. Le gris argent de ce voile descendant semblait faire écho à l'écorce argentée des sapins. Puis, à mesure que les flocons se densifiaient, la neige blanchit. Une blancheur si vive qu'elle éclipsa les cimes des arbres ; le vert des branches s'effaça. Dans le train, hormis le ferraillement, le silence régnait. Plus personne ne bougeait.

Un voile de gaze d'une blancheur opaque recouvrit les vitres, obstruant uniformément la vue. Ce rideau blanc masquait la diversité des perspectives. Il ne laissait de place à aucune interprétation. Niait la richesse de la lumière. Au loin on pouvait à peine voir flotter des ombres et il fallut attendre quelques minutes, que la neige eût brusquement cessé de tomber, pour les voir reprendre forme d'arbre. Il s'agissait à présent de bouleaux aux troncs squameux, plus droits que ceux des sapins, alternant avec de jeunes cèdres plus recti-lignes encore. À travers leurs branchages, les cèdres encore peu fournis laissaient entrevoir ici et là une datcha. À cette époque de l'année, les conifères regorgeaient d'écureuils.

La lettre pliée en quatre et glissée dans la poche de ma veste, je repensai à cette soirée au bar où j'avais rencontré Gelb. Il s'était souvenu de la nouvelle que j'avais écrite deux ans plus tôt pour *Literatournaïa Gazeta* sur «le grand maître dans un train», selon son expression. Gelb s'y était-il, au moins pour une part, reconnu? Il s'agissait d'une triste, d'une mélancolique histoire emplie de peur et d'anxiété, pas le genre de nouvelle capable d'émouvoir, pouvais-je supposer, un joueur au sommet de ses moyens. J'avais du mal à imaginer le jeune homme tournant les pages de ce magazine. D'ailleurs, à l'époque, la rédaction avait reçu des lettres de protestation. Pour certains, mon texte était irrespectueux. De toute évidence Gelb lui-même n'était pas de cet avis. Peut-être avait-il aimé ce portrait d'un grand maître présenté comme un être humain dont les défauts n'étaient pas gommés. Deux ans avaient passé depuis la publication de ce récit et Gelb était maintenant embarqué dans le match de sa vie. Nous vivions un temps de certitudes guerrières, sans la moindre place pour un semblant de doute sur soi. L'idée me traversa alors que le plus redoutable adversaire du jeune challenger ne serait peut-être nul autre que lui-même.

Au moment où je descendis du train, la neige se remit à tomber, les flocons pleuvaient sans osciller et laissaient percevoir un très léger chuintement en touchant le sol. Les arbres avaient disparu et dans la lumière crépusculaire de cette fin de journée, la grande avenue qui s'ouvrait devant moi me parut sinistre. Impatient de me dégourdir les jambes, je commençai à marcher sans réfléchir avant de m'arrêter rapidement et de chercher autour de moi un abri où me réchauffer. J'avais reçu une lettre contenant les coordonnées de l'usine, mais il ne s'agissait pas d'indications susceptibles de figurer sur une carte : je devais trouver une marchande de glaces ambulante, puis tourner à droite jusqu'à ce que j'eusse atteint un kiosque à journaux «avec un gros bouquet de chardons accroché sous les titres du jour». Traversant à gauche à hauteur de la rue suivante, je devais dépasser une cabine téléphonique et poursuivre mon chemin jusqu'à apercevoir le portail de l'usine.

Je trouvai la vieille femme derrière son étal de crèmes glacées. Quand je pris à droite et descendis la rue d'un pas crissant, en quête du kiosque, le vent se mit à souffler et la neige devint de plus en plus féroce. La violence de la bise glaciale me surprit. Je baissai la tête, arrondis les épaules et continuai ma route. Les empreintes de mes bottes dans la neige se firent plus profondes.

Un kiosque… Il fallait que ce fût celui-ci ! Au petit rectangle entraperçu mon esprit ajouta le scintillement du métal, la une d'un grand quotidien et la verdure hérissée d'un bouquet de chardons. M'efforçant d'accélérer, je m'inclinais de plus en plus mais le vent me repoussait brutalement et me faisait une démarche titubante d'ivrogne. Mains enfoncées dans les poches, je faillis plus d'une fois chuter tête la première dans la neige, déjà souillée et déformée par le passage d'un chien errant, d'une paire de bottes inconnue et des pneus d'une auto.

Mais en arrivant au kiosque je ne vis âme qui vive, humaine ou animale. N'émergeait de la tempête de neige que le bouquet de chardons. Au-dessus de leurs pointes, la une du jour claironnait dans le kiosque vide : *Khrouchtchev à Paris pour préparer le sommet*. Je me demandai ce que dirait le kiosque le lendemain. Je fermai les yeux.

Le champion comble son retard par une brillante victoire.
J'exhalai un petit nuage de buée.

Je traversai précautionneusement la rue pour prendre la suivante à gauche, avançant d'un pas hésitant, arc-bouté pour me protéger au mieux de la neige qui me harcelait. À travers la masse des flocons, apparut soudain le rouge accueillant d'une cabine téléphonique. J'y suis presque, pensai-je. J'y suis presque.

L'excitation antérieure, presque enfantine, que m'avait value cette recherche avait maintenant cédé la place à une profonde et lourde fatigue. Je n'avais plus qu'un seul désir : apercevoir les lignes parallèles du battant du portail de l'usine. Égaré au beau milieu de nulle part, je me sentais réduit à l'état d'obstacle contre lequel le vent et la neige rivalisaient d'ingéniosité : ils s'infiltraient dans mes bottes, s'insinuaient jusque dans mes poches, se faufilaient sous mon écharpe et mon chapeau. J'avançais d'un pas lourd et en entendant une voix, venue d'un portail, s'exclamer : « Monsieur Otchik ? Suivez-moi s'il vous plaît », je sentis un début de soulagement dominer ma fatigue. Je me composai un visage de circonstance pour le comité chargé de m'accueillir.

Mon pardessus dégoulina tout le long du couloir. La chaleur de l'usine, après la neige, la glace et la bise, avait de quoi surprendre. Surprendre, et réconforter. En plus, j'étais à l'heure : des mains nombreuses, alignées en rang d'oignons, attendaient de serrer la mienne. Les mains du directeur de l'usine, de ses employés, du contremaître, ainsi que de divers apparatchiks locaux. Après chaque poignée de main venait un sourire suivi d'un salut ou de quelque plaisanterie. Le directeur, à côté de moi, faisait les présentations. On me débarrassa de mon chapeau et de mon manteau trempés.

La lettre de Gelb! Je plongeai la main dans ma poche intérieure et palpai le papier duveteux plié en quatre. Sec, abrité de la neige. Le léger soulagement ressenti à mon arrivée se mua en regain de confiance. Je me sentais rasséréné. Lentement, précautionneusement, je sortis d'une poche de pantalon mon calepin – autre survivant de la tempête. Le carnet et la lettre échangèrent leurs places.

J'avais imaginé que la fabrication des pièces d'échecs en était encore au stade artisanal, avec des rangées d'hommes à cheveux gris donnant graduellement forme par des gestes caressants aux petites billes de bois, profondément absorbés dans un silence seulement rompu par les bruits délicats, secs ou filés, de leurs outils. Les pièces produites à l'usine étaient fabriquées par des machines dont l'odeur chaude se mêlait à celle du bois. Couverts de sciure, de jeunes hommes et femmes dans la vingtaine, fraîchement diplômés de l'université, actionnaient des leviers, pressaient des boutons, faisaient fonctionner scies et tours électriques.

Seul le contremaître, qui devait crier pour se faire entendre, était un vieux travailleur de l'usine. On pouvait supposer que la rotation des employés y était rapide. Les jeunes gens des deux sexes, toujours en quête d'opportunités d'emploi plus intéressantes, n'y faisaient pas de vieux os. Rien que de très prévisible compte tenu de la quasi-impossibilité de nouer là des rapports conviviaux, voire même de s'appliquer à la tâche : c'était trop bruyant, trop abrutissant. Sur un lieu de travail où le bois est un matériau façonné par les machines et où seul compte le nombre de pièces fabriquées à l'heure, une quelconque ambition peut difficilement s'enraciner.

Les fonctionnaires du Parti, en revanche, étaient dans leur élément. Ils regardaient les machines usiner le bois. Les pièces pivotaient sur elles-mêmes en crépitant et projetaient de la sciure alentour tandis qu'apparaissaient de profonds sillons concentriques. Était-ce un Roi ? Une Dame ? Sur la figurine en gestation, les avis divergeaient. « Un Fou, peut-être ? », hasarda une voix solitaire, s'attirant des exclamations réprobatrices. Sommée de décliner son identité, la pièce de bois captivait le groupe d'hommes qui s'approchèrent et se pressèrent autour d'elle jusqu'à la masquer complètement aux regards. Mais leur attention se dissipa peu après, s'évaporant aussi vite qu'elle s'était focalisée. Le chef de la section locale d'abord, puis ses subordonnés, se redressèrent sans un mot et s'éloignèrent, raides et empesés.

C'était une Tour. Quelques instants plus tard débuterait la phase des finitions : elle allait être vernie, devenir momentanément collante puis, pour peu qu'elle fît partie des 50 % de pièces admissibles, elle atterrirait dans quelque autre secteur de l'usine afin d'y être peinte en noir. Moins d'une heure plus tard, une jeune femme en salopette se saisirait de la figurine ainsi que de sa sœur jumelle et les rangerait avec une trentaine d'autres dans une boîte en carton. L'usine produisait chaque jour des centaines de jeux de pièces comme celui-ci.

Nous suivîmes le contremaître dans ce qui constituait sans doute sa tournée quotidienne. Inconsciemment, les apparatchiks imitaient la démarche allègre de l'homme. De temps à autre leurs jambes courtaudes ralentissaient l'allure avant de stopper devant une machine particulièrement imposante et bruyante. Les blocs-notes sortaient des serviettes, avec le reste du bric-à-brac bureaucratique : un chronomètre à bouton-pression, un mètre ruban à dérouler. Les Rois, nous informa-t-on, mesuraient précisément 94 millimètres de hauteur. On consigna le temps que mettait une ouvrière apparemment fébrile à insérer la croix finale au sommet de la pièce – tâche manifestement complexe devant un tel public. Les angles aigus des blocs, les formes inharmonieuses des machines et les lumières trop vives composaient autant de détails agressifs pour mes yeux qui, quelques minutes auparavant, admiraient encore les gracieux motifs ornant les troncs de sapins. Irrité, je pressai le pas.

Quelqu'un mentionna le prix d'un jeu d'échecs fabriqué dans cette usine. Pour me distraire de mon irritation, je me mis à faire des calculs. Les prix étaient fixés par l'État et lui seul : à combien, et selon quels critères de comparaison, l'État – ou ses agents courts sur pattes – pouvait-il bien estimer la valeur d'un jeu d'échecs en bois brut ? Chacun de ces jeux était en même temps un jouet et quelque chose de plus, un petit quelque chose d'ineffable. Pour la première fois, l'étrangeté de cette idée – mettre un chiffre sur cette inquantifiable qualité, comme on le fait pour une cuiller ou un aspirateur – me frappa avec une force particulière. Il faut pourtant, à toute chose, attribuer un prix. D'après l'État soviétique, un jeu d'échecs en bois valait autant qu'un cinquième d'appareil photo. Ou un quart de chemise. Un demi-drap de lit. Une bouteille de champagne. Deux disques 33-tours. Trois kilos d'oranges. Cinq peignes en métal. Huit billets de loterie. Treize paquets de cigarettes. Une course de vingt kilomètres en taxi. Trente miches de pain blanc. Quatre-vingts balles de ping-pong. Une centaine de tickets de bus. Ou encore quatre cents crayons de papier.

Pour chacun des employés de l'usine, le prix d'un jeu équivalait au salaire d'une journée de travail.

On m'expliqua que c'était avec ces mêmes jeux que le champion et son challenger disputaient leurs parties. Cette information aurait dû constituer pour l'usine et son directeur une source de fierté, mais sur les visages comme dans les gestes on ne lisait aucune émotion. Le comportement du directeur laissait penser qu'il avait passé une mauvaise journée au bureau. J'essayai, de mon mieux, de faire bon usage de mon calepin mais je dus me creuser un peu la tête pour trouver les bonnes questions.

– Vous suivez le match ?

– Si je suis le match ? Oui, je le suis.

– Et que pensez-vous de la forme des joueurs, à ce stade ?

– C'est difficile à dire.

Je lui demandai si l'échiquier et les pièces utilisées pour le championnat avaient fait l'objet d'une fabrication spéciale.

– Vous me demandez si on a modifié quoi que ce soit pour les joueurs ? Non, ce jeu est identique à tous les autres jeux fabriqués ici.

Mais son ton soudain pincé me fit douter qu'un jeu destiné à un événement aussi exceptionnel eût vraiment pu être produit à la chaîne sur ce genre de machines. Les pièces avaient sans doute été fabriquées à la main, mais en se conformant à des spécifications identiques. Le vernis utilisé pour la surface, la pièce de feutrine collée sous la base : les matériaux utilisés devaient être d'une qualité supérieure. Mais ce n'était là qu'une supposition.

La visite de l'usine allait s'achever lorsque la délégation passa à côté d'un chariot adossé contre un mur de ciment et rempli de pièces de rebut : des Cavaliers au museau cassé, des Rois squameux sur lesquels le vernis n'avait pas été appliqué correctement, des Dames mutilées, des Fous au coloris noir tavelé et des pions décapités. De toute évidence, la délicatesse des figurines multipliait les risques de fausse manœuvre dans le travail à la machine. Les figurines non conformes, ramassées dans les différents secteurs de l'usine, attendaient d'être broyées puis enfournées dans l'incinérateur. D'ici une heure le chariot serait rempli à ras bord. La vision de son contenu – triste gâchis – m'émut. Elle m'avait pris par surprise. Une pensée à la fois flatteuse et saugrenue me traversa l'esprit : demander que l'on réparât toutes ces pièces, que quelqu'un se chargeât de rendre vie à leurs déplacements obliques et à leurs cavalcades en L. Mais qui, et comment ? Ce n'était qu'un fantasme, une façon de repousser l'idée des cendres. Quel gaspillage. Et ce gâchis ne représentait qu'une fraction de ce que les usines soviétiques produisaient chaque année : elles jetaient et détruisaient des dizaines de milliers de pièces. Faute de chaudière où les détruire, certaines balançaient ce qui restait des petits personnages sculptés au fond des lacs environnants. Chaque pièce rejetée était aussitôt remplacée, la place vacante occupée. Un balai faisait disparaître la moindre trace de sciure. Des millions de survivants circulaient ainsi à travers tout le pays, expédiés par caisses entières vers entrepôts et magasins. Le territoire de l'URSS abritait davantage de pièces d'échecs que les États-Unis ne comptaient d'habitants. Plus que la population cumulée du Royaume-Uni, de la France et de l'Allemagne.

Le directeur voulut savoir si je disposais de toutes les informations dont j'avais besoin pour mon article. Les hommes du Parti quittèrent les lieux, la visite était terminée. Les machines étaient redevenues silencieuses. Je refermai mon calepin et le glissai dans ma poche de pantalon. Depuis le fond du couloir, j'entendis crier le contremaître.

– Grouillez-vous un peu, ça va commencer !

Il dirigeait le club d'échecs de l'usine, me dit-on, et ce titre lui conférait le rare privilège de pouvoir se soustraire aux règles communes. Les membres du club avaient quitté leur poste pour se retrouver dans la salle où ils pourraient suivre à la radio la cinquième partie du championnat du monde. Je fus invité à me joindre à eux, si je le souhaitais. Ce que je fis. Je pris congé avec soulagement du directeur et de sa délégation qui ne comptait aucun membre du club. Le couloir se fit plus bruyant à mesure que j'approchais du local réservé au club, longeant au passage d'autres pièces qui dévoilaient différents aspects de la vie de l'usine : tapis roulants à l'arrêt, grosses taches de rouille, crayons de papier empilés en tas, comme des bûches.

J'entrai sans être remarqué. C'était une salle assez vaste, plus grande que je ne l'avais imaginée, divisée en zones rectangulaires par une succession de tables sur lesquelles étaient disposés des échiquiers et leurs pièces. Autour de chacune de ces tables, assis ou debout, se tenaient des hommes et des femmes encore en tenue de travail. Les fenêtres avaient pris une teinte boueuse. Sous un plafonnier qui éclairait la pièce, le contremaître tournait le bouton d'un poste de radio.

« Qui a encore déréglé cet appareil ? », jeta-t-il sèchement. « C'est vraiment le moment… » Il donna un coup sec à l'appareil. « Ah, ça y est… » La radio émit d'abord un son grésillant, mais presque aussitôt retentit la musique de l'indicatif.

Le poste de radio, le contremaître bougon, l'excitation qui faisait place au silence, l'armée de pions-Roi blancs avançant simultanément de deux cases sur tous les échiquiers : la scène à laquelle j'assistais se répétait sans aucun doute dans bien d'autres usines du pays. Dans les boutiques, les bureaux, les entrepôts, le travail avait dû s'arrêter brutalement. Trois jours par semaine, à quatre heures précises de l'après-midi, des touristes étaient priés de cesser leurs emplettes, des piles de dossiers se voyaient abandonnées à elles-mêmes, des cageots de marchandises ne trouvaient plus d'acheteurs.

À quatre heures précises, tous les mardis, jeudis et samedis, l'Union était coupée en deux. D'un côté les 50 % de citoyens qui portaient un dentier (comme le contremaître), parlaient avec un accent rural, ne buvaient pas une goutte d'alcool, les grincheux, les mémères à chat, les ingénieurs, les gens incapables de localiser New York sur une carte, les vétérans de la Première Guerre, ceux qui ne prenaient jamais le métro, les agitateurs de tubes à essai, les mangeurs de chou, ceux qui n'avaient pas d'oreille ; tous ceux-là soutenaient le champion. L'autre moitié des Soviétiques s'était rangée derrière le challenger.

Lequel jouissait également du soutien de la plupart des membres du club, qui se tenaient à bonne distance du contremaître. Celui-ci, après chaque coup, déplaçait les pièces sur l'échiquier, seul dans son coin – ce dont il avait semble-t-il l'habitude. Entre l'îlot des pro-champion et le reste de la salle, pas un mot n'était échangé. L'excitation était du côté des supporters de Gelb.

Le challenger, qui jouait les Blancs, avait ouvert audacieusement. Son sixième coup, un mouvement inhabituel du Cavalier du Roi barrant la route à son propre Fou, intrigua le champion qui prit dix-huit minutes pour réfléchir. Audacieux, donc, mais n'était-ce pas une feinte, un coup de bluff ? Une manœuvre destinée à faire perdre du temps à son adversaire ? Les ouvriers, avançant et reculant vivement les pièces sur leurs échiquiers, exploraient toutes les répliques possibles.

« Ah ! Bien, très bien ! »

La riposte de Koroguine, quand il se décida enfin, fut saluée par un grognement approbateur du contremaître.

« Bakavitch, 1924. Joli coup, c'est sûr. »

Il parlait d'un ton très assuré sans s'adresser à personne en particulier. Le champion s'était rappelé une tactique visiblement imaginée plus de trente ans auparavant par un maître du nom de Bakavitch. Ou peut-être Koroguine l'avait-il découverte par lui-même au seul fil de ses réflexions. En tout cas, le coup avait plu au contremaître : Bakavitch (surnom que je lui attribuai aussitôt) souriait au pion du Roi noir, qu'il avança d'une case sur l'échiquier.

Mais ce sourire fut de courte durée. Dans une offensive concertée, les Cavaliers blancs prirent à la gorge le Fou-Dame noir. Le Fou-Roi blanc menaçait, la Dame blanche également et les ouvriers de l'usine, à deux ou trois maintenant par échiquier, discutaient de l'intérêt d'un assaut immédiat sur le camp noir. Leur enthousiasme turbulent croissait de minute en minute. Ils proposaient une tactique après l'autre mais pas de plan réellement applicable et une heure plus tard le Roi noir se repliait dans le giron sécurisant de sa Dame.

L'enthousiasme des ouvriers ne faiblissait pas. Par-dessus leur bavardage j'entendais la voix de Vadim Slavsky, sa voix chaude de vieillard, commenter le match. Des expressions officiellement retirées de la circulation pendant des décennies – les mots mêmes qui faisaient toute la saveur et la couleur de la langue russe – avaient survécu à la bureaucratie grisâtre de Staline et fini par trouver refuge dans les commentaires radiophoniques de Slavsky : sur les ondes ils pétillaient et rayonnaient. Depuis peu, on commençait à les voir revenir dans les textes imprimés, ces mots, mais il était encore bien étonnant de les entendre prononcer de vive voix.

Après les péripéties de la Première Partie, qui pourrait en vouloir au champion d'être revenu avec une frousse bleue ? Pourtant Koroguine n'a jamais manqué de tripes... Un morceau de bravoure, ces parties Trois et Quatre, à un poil près le champion l'emportait... Et cette partie-ci promet à son tour d'être splendide...

Évoquant le style enlevé du challenger, Slavsky fit ce commentaire : « Il pense avec ses mains. » Il était sept heures du soir passées quand je vis, en esprit, Gelb revenir vers la table pour jouer son vingtième coup et provoquer le sacrifice réciproque des deux Dames. Car trois coups plus tard elles avaient disparu de l'échiquier. Le vingt-septième coup des Noirs imposa un Cavalier au centre de l'action. Un silence pesant s'abattit du côté de la pièce où se tenaient les ouvriers. Bakavitch, de son côté, avait retrouvé le sourire. Pour la quatrième partie d'affilée, le champion prenait l'initiative. Sous l'heureuse influence du café, les pièces noires avaient réussi à tenir bon ; et maintenant elles contre-attaquaient. Slavsky eut un commentaire péremptoire : « Après quatre heures de jeu, le jeune challenger n'a plus guère de marge de manœuvre. Avec seulement trente-cinq minutes pour exécuter ses treize prochains coups, il est désormais le plus exposé à d'éventuelles erreurs. »

Ce n'était pas une exagération. Et l'évocation du problème de temps était significative : une fois encore, le challenger s'était vu imposer un rythme de jeu qui ne lui convenait en rien.

Je me sentais en phase avec la nervosité des ouvriers et j'avais le cœur serré. Ils s'étaient tous levés, paraissaient fatigués, et en suivant leurs regards, je vis qu'ils regardaient Bakavitch commenter chaque coup avec verve. Cette succession accélérée de mouvements dans l'ultime phase de jeu agitait sans relâche ses doigts velus.

Un échiquier livré à des Cavaliers et à des pions, dont le maillage invitait à tous les imbroglios... J'observais anxieusement la situation, scrutant les pièces qu'agrippait Bakavitch, et je continuais d'espérer. Cet espoir me semblait justifié : sous pression, Gelb avait toujours bien réagi. Jusqu'ici. Sa position avait conservé une certaine harmonie dont Koroguine avait tâché de tirer parti de la moindre faille, cherchant à la saper, à la déstabiliser. Vainement.

Je sortis mon calepin et griffonnai l'heure : il était neuf heures moins huit. Le challenger, à qui il ne restait que quelques minutes, venait de jouer son quarantième coup. Bakavitch monta le volume de la radio et nous restâmes suspendus à la réplique du champion. À neuf heures moins cinq, on annonça que le pion du Roi venait d'avancer d'une case. Nous retînmes notre souffle.

Jouant le rôle de Koroguine, Bakavitch gardait une complète immobilité. Un doute était perceptible dans son expression. À neuf heures très exactement, s'il ne s'était rien passé de déterminant, serait prononcé l'ajournement, une première dans ce match. Autrement dit, sa conclusion se verrait reportée au lendemain après-midi : les deux joueurs en termineraient au Club d'échecs officiel de la ville, à l'écart du public et en tête-à-tête, épuisés par une nuit blanche de réflexion. Pour le champion de cinquante ans, plus que pour son jeune rival, cette perspective devait être passablement contrariante.

Et soudain Slavsky annonça : «Nul!» – on aurait dit un cri. Après un examen attentif de l'échiquier, si prometteur quelques instants plus tôt, Koroguine avait décidé que l'état des forces en présence ne valait pas de lui sacrifier une nuit de sommeil. Pour la quatrième partie consécutive, le champion avait dominé son adversaire, mais une fois encore il n'avait pas su porter le coup décisif. Bakavitch coupa rapidement le son des applaudissements.

Chaque victoire, on le sait, rapporte un point. Et une partie nulle, un demi-point à chacun des joueurs. Le challenger menait le match 3-2.

Le lendemain matin, je découvris une photo de la partie dans le journal. C'était un gros plan et le cliché me frappa par la véracité avec laquelle il restituait l'ambiance de la soirée. Le photographe avait sans doute pris plusieurs photos avant de choisir la plus éloquente pour l'envoyer à son rédacteur en chef. À en juger par la disposition des pièces, vues de biais et en légère contre-plongée, elle avait été prise en milieu de partie. Le champion avait été saisi avec beaucoup de netteté. La position de sa grosse tête, de profil, suggérait une intense cogitation. À l'autre extrémité de l'image le challenger semblait flou, plus petit et presque effacé. Défaillance de l'appareil photo ?

J'examinai les deux personnages. L'attitude implacable de l'un, le léger tremblé de l'autre. Incroyable comme la tension avait persisté, partie après partie, sans la moindre pause. Le relâchement inéluctable, en réaction à cette pression constante, ne pouvait plus tarder. Une phase critique s'annonçait, que chaque joueur allait devoir exploiter comme il le pourrait. La prochaine phase du jeu, dramatique, décisive peut-être, montrerait jusqu'à quel point il fallait prendre au sérieux la nouvelle génération.

Chapitre 5

Avant de devenir le plus vaillant bagarreur de son quartier, Joseph Staline avait commencé comme apprenti savetier. Premier ténor de la chorale de son école, il n'en deviendra pas moins un visiteur assidu des cachots de la police tsariste. Après la Révolution, il endossera l'uniforme de commissaire du peuple aux nationalités, sera promu général en chef adjoint en Ukraine puis secrétaire général du parti communiste. Après la mort de Lénine – avec d'autres, il porta son cercueil – il sera l'homme qui signe les ordres d'exécution et le rival de Trotski. La soixantaine le verra homme d'État, lorsque la Wehrmacht aura soudain décidé de fondre sur Moscou. Les journalistes américains l'appelleront Oncle Joe avant d'en faire, après la guerre, le nouveau méchant à moustache. Dans les débats des savants soviétiques sur leurs dernières découvertes il sera promu biologiste, linguiste ou encore sociologue de génie. Jusqu'à ce que son successeur, Khrouchtchev, le 24 février 1956, ne dévoile devant le XXe congrès du Parti, dans un rapport resté célèbre, les crimes et la démence du dictateur disparu trois ans plus tôt.

Mais pour Maxim Koroguine, champion du monde d'échecs, Joseph Staline était le «maître bien-aimé» qui avait rendu sa carrière possible. «Cher maître bien-aimé», lui avait télégraphié le champion d'URSS après sa première victoire internationale, en Grande-Bretagne en 1936, «c'est avec un sentiment de grande responsabilité que je me suis rendu à Nottingham pour disputer le tournoi international d'échecs». Il poursuivait : «Je suis infiniment heureux d'être en mesure de vous annoncer qu'un représentant des échecs soviétiques a décroché la première place.» Le télégramme était paru dans toute la presse soviétique, celle-là même qui avait passé sous silence les Jeux olympiques organisés au même moment à Berlin. Devenu un héros, Koroguine avait ainsi gagné le droit d'apparaître à intervalles réguliers à la une des grands journaux du pays.

Cette gratitude n'était pas seulement rhétorique. Très tôt le gouvernement de Staline avait choyé son talentueux champion, offrant à Koroguine, avant chaque tournoi important, quelques semaines de repos et d'air frais dans une campagne retirée. Villa confortable, randonnées en pleine nature, exercices respiratoires, visites régulières au centre local de remise en forme. Trois repas par jour. Sans oublier le passeport délivré à sa femme, un rare privilège à l'époque. Sans aucun doute, ce champion-là ne ressemblait pas à Bogolioubov, ou à Alekhine. À lui au moins, on pouvait faire confiance pour résister à la tentation de demander asile à l'étranger. Comment Koroguine et sa femme auraient-ils pu ne pas revenir? Tout ce bon air! Ces massages du cuir chevelu au centre de remise en forme! Sans parler de leur fille, encore en bas âge, assignée à résidence chez sa grand-mère de Leningrad.

Que de pressions il avait dû subir. Elle n'avait pas posé le pied à Nottingham que le nom de la jeune star soviétique s'étalait déjà dans toute la presse anglaise. Sa récente démonstration de force, à Moscou, lui valait le rang de favori. Les journalistes avaient essayé de le faire parler. On imagine les questions : comment s'était passé son voyage ? Se sentait-il en bonne forme pour ce tournoi ? Lequel craignait-il le plus parmi les quatorze autres grands maîtres arrivés de Cuba, des États-Unis, d'Allemagne, d'Angleterre, de France, de Pologne, de Tchécoslovaquie, de Yougoslavie…? Et au fait, comment trouvait-il l'été anglais ? Avait-il entendu parler de Robin des Bois ? Un commentaire sur le procès public des « terroristes trotskistes-zinoviévistes » qui débutait à Moscou ? Caché derrière son russe, secouant la tête comme s'il ne comprenait pas, Koroguine se gardait bien de répondre. Il n'acceptait que les habituelles demandes de photos, posant avec deux autres grands maîtres et leurs tasses de thé au lait, probablement froid.

Un pays inconnu. Tout comme la plupart des grands maîtres qui, par-delà leur nom (et leurs parties les plus célèbres), demeuraient néanmoins pour Koroguine de parfaits étrangers. Voici donc à quoi ressemblait Bogolioubov, ce gros homme à double menton dont le ventre rebondissait sur ses genoux quand il prenait place devant l'échiquier (victoire facile au troisième tour pour Koroguine). Et ce chauve aux yeux bouffis, ce pinailleur invétéré, c'était le champion polonais Tartakover (autre victoire au quatrième tour). Alekhine, avec ses costumes élégants et ses mauvaises manières à table (cinquième tour, un nul rapidement concédé). Et Reshevsky l'Américain, si médiocre ! – partie nulle encore, au douzième tour.
Sans doute Koroguine avait-il vu ces clichés publicitaires largement diffusés sous forme de brochure, des photos noir et blanc sur lesquelles le jeune Reshevsky posait en enfant prodige. Petit garçon en costume marin, dès l'âge de huit ans il avait été exhibé par ses parents dans toutes les villes

américaines ainsi qu'en Europe, et contraint de disputer, contre rétribution, des parties en simultané face à quarante adultes.

À Nottingham il ne restait plus rien de tout cela, ni les boucles enfantines, ni l'expression d'assurance hautaine, et le costume marin avait été remplacé par un veston de comptable.

Six victoires, huit nuls et pas une seule défaite. Gloire au héros du peuple, à Koroguine dont la victoire était «celle de notre culture socialiste». Au revers de sa veste il put désormais épingler la médaille d'honneur de l'Union soviétique. À son retour le commissariat à l'Industrie lourde lui attribua une voiture, une grosse et pesante berline en acier massif dotée de larges pneus et de très épaisses vitres. À l'épreuve des balles.

La victoire qui, chez un autre maître, aurait pu susciter un relâchement de l'effort ou une boursouflure d'amour-propre, ne fit qu'inciter Koroguine à travailler plus dur encore. Entre deux tournois, dans les moments de liberté que lui laissaient ses voyages et les nécessaires phases de préparation, le champion disséquait les théories généralement admises et élaborait de nouvelles stratégies. Mais ces innovations n'étaient pas destinées aux compétitions, leur future application dans telle ou telle partie relevant d'un heureux hasard. L'inconstance des adversaires et l'imprévisibilité du public rendaient toute partie beaucoup trop incertaine – une mine d'erreurs potentielles. Des conditions incompatibles avec une démarche strictement scientifique. Difficile, ainsi, d'évaluer objectivement telle ou telle stratégie de jeu. Koroguine visait un idéal plus élevé: il se proposait de circonscrire l'essence même du jeu d'échecs. La plupart des parties ne faisaient que déformer, que travestir cette essence. C'est pourquoi le champion préférait étudier chez lui plutôt que de disputer des tournois.

Ce fut dans l'*Encyclopédie soviétique des échecs*, publiée annuellement sous la supervision du grand champion après sa victoire à Nottingham, qu'il rendit publiques ses découvertes. Des pages entières étaient consacrées à la variante du «pion empoisonné», ou à une configuration de fin de partie impliquant Roi, Dame et pion du Cavalier contre Roi et Dame : «Pour préserver ses chances de victoire, le camp disposant du pion supplémentaire doit maintenir son Roi sur la même rangée ou colonne que le Roi adverse.» L'*Encyclopédie* comptait des milliers d'entrées élaborées par de nombreux assistants, mais une foule d'indices révélaient la contribution directe du champion soviétique. Les lecteurs pouvaient y réviser les biographies des maîtres passés et présents, vus par les yeux de Koroguine :

«Emanuel Lasker a arrêté de jouer aux échecs pour la simple raison qu'il jugea plus rentable de se consacrer à des transactions commerciales. C'est par amour de semblables transactions que lui, le champion du monde, a abandonné les échecs! Cela peut sembler difficile à comprendre, mais c'est un fait. Lasker a traité les échecs comme une profession parmi d'autres, non parce qu'il n'avait aucun respect du jeu, mais parce qu'il a succombé à la conception des échecs qui prévalait dans son milieu bourgeois, faite de condescendance et de philanthropie.»

Ce passage est extrait de la cinquième édition de l'*Encyclopédie*, publiée en 1941. Sept ans plus tard, alors que Koroguine était devenu champion du monde, l'*Encyclopédie* se penchait comme suit sur son prédécesseur :

«Alekhine a toujours recherché la vérité dans les échecs, mais dans ses dernières années, ses facultés d'imagination déclinèrent et il se réfugia dans un système de jeu exclusivement fondé sur la ruse. Il ne cherchait pas tant à pénétrer le secret d'une position qu'il n'attendait le moment opportun ou, sans commettre d'impair, il pourrait noyer son adversaire sous les complications inutiles. Bien sûr une telle vision de la discipline du jeu d'échecs ne pouvait satisfaire les maîtres soviétiques.»

Les expressions étaient empruntées («milieu bourgeois», «complications inutiles»), mais Koroguine et ses assistants en usaient avec autorité. Tant qu'il s'agissait de champions du monde, même étrangers, même émigrés, de telles notices biographiques étaient bien sûr indispensables, inévitables. Il n'en allait pas de même des maîtres de second plan. Au fil des ans, d'une édition à l'autre, des carrières et des vies entières autrefois abritées dans les pages de l'*Encyclopédie* se trouvaient purement et simplement effacées.

Ça commençait par une question. L'un des assistants, occupé par exemple à la cinquième édition de l'*Encyclopédie* et chargé de la lettre B, demandait: «Bolatchouk?» L'intonation montante qui ne s'adressait à personne en particulier était devenue habituelle. Simple exercice de mémoire. «Bolatchouk? Bolatchouk?», le nom du champion ukrainien revenait comme un écho. On en parlait ou pas? On feuilletait des dossiers, on ressortait des fiches alphabétiques, on donnait peut-être un coup de fil. Puis un autre. Mieux valait prévenir que guérir: l'erreur, le dérapage, l'omission la plus insignifiante étaient passibles de conséquences fâcheuses. Enfin, une fois l'ensemble des vérifications achevées, l'assistant mettait son article à jour. Bolatchouk, né à Odessa en 1892, auteur du premier livre en ukrainien consacré aux échecs, champion d'Ukraine 1937, a fini dixième au XIIe Championnat d'URSS (1940). L'assistant, après avoir ajouté cette phrase anodine, décrochait une dernière fois son téléphone pour demander avec la même intonation montante : « Bolatchouk ? », avant de reprendre l'article sur le gambit de Budapest. On n'est jamais trop prudent.

Prudence et vigilance justifiées car au moment de boucler la sixième édition, il fallut bel et bien remanier la page en question. Entre-temps, dans la violence et la panique de la guerre, le champion ukrainien avait fui au Canada. Habitude ou non, la voix de l'assistant assigné à la lettre B put dès lors se passer d'intonation montante. Et pour cause : il n'y avait plus de nom. Plus de premier livre consacré aux échecs en ukrainien ; plus de champion d'Ukraine 1937. Les souscripteurs de l'*Encyclopédie*, écoles ou universités, reçurent une notice augmentée sur le grand maître Boleslavsky, qu'on leur enjoignit de coller par-dessus l'entrée Bolatchouk de leurs éditions précédentes.

Songez à l'assistant chargé de la lettre B s'évertuant à étoffer les nombreuses (vraiment très nombreuses) contributions au jeu du grand maître Boleslavsky. Qui aurait cru qu'on pût écrire tant de choses sur un seul joueur d'échecs ! Sur sa version de l'ouverture sicilienne, inépuisable source de commentaires, de diagrammes et d'analyses... Pensez au souscripteur, au professeur, au bibliothécaire consciencieux étalant la colle du bout de son bâtonnet, et appliquant sur la page le supplément imprimé, qui se plisse et crisse sous ses doigts. Songez aux anciens adversaires, ceux qui avaient naguère battu le champion ukrainien et qui en étaient très fiers, eux aussi, *de facto*, subitement jetés aux oubliettes. L'homme qui peu auparavant plastronnait dans sa ville, connu de tous pour avoir défait le grand Bolatchouk, à cet homme-là que restait-il à présent ? Lui aussi avait tout perdu. Son triomphe, sa célébrité, ses fanfaronnades.

Avant d'affronter Gelb, Koroguine avait participé à quatre championnats du monde. Deux sous Staline, deux sous Khrouchtchev. S'il avait fini par remporter les quatre, il était cependant passé tout près de la défaite dans le deuxième. C'était en 1951, deux ans avant la mort de Staline. Le grand maître Bronstein disputait le titre suprême à Koroguine. Le match, très agité, avait mis à rude épreuve les nerfs de chaque camp. Impossible jusqu'à la fin de prédire l'identité du gagnant, les deux adversaires ayant mené à tour de rôle. Chaque fois que Koroguine ou Bronstein semblait prendre l'initiative, elle lui échappait, aussi versatile que si elle s'était méfiée de qui prétendait l'accaparer. Tout cela à la grande joie des nombreux spectateurs, convaincus d'en avoir pour leur argent.

Parmi eux les parents du challenger, quelque peu effarouchés. Les Bronstein avaient de bonnes raisons de l'être : quinze ans plus tôt le père, arrêté à la suite d'une manifestation ouvrière, avait été étiqueté ennemi de l'État et déporté sept ans en Sibérie. Et puis il y avait son nom, celui d'un ennemi (pure coïncidence, Bronstein était également le vrai nom de Trotski). Un tel patronyme était donc condamné à la discrétion. Tout autre comportement eût relevé de la provocation. Rentré de Sibérie, sa peine purgée, Bronstein père retrouva sous les traits d'un adulte l'adolescent qu'il avait quitté.

Sans la carte d'invitation clairement officielle, les vieux parents de Bronstein ne seraient peut-être jamais venus assister au championnat. Mais comment refuser une telle invitation ? Soucieux de ne pas attirer l'attention ni de se faire remarquer en aucune façon, ils choisirent deux sièges de la dernière catégorie et suivirent les premières parties du fond de la salle, à travers des jumelles de théâtre. Il était des plus inconfortable de respirer en silence, de ne pas bouger un seul muscle des jambes, du cou ou du visage, fût-on contrarié par le coude d'un voisin ou un coup de genou un peu rude. Impossible de garder très longtemps une telle contenance. La victoire-surprise de leur fils dans la cinquième partie fendilla l'impassibilité absolue qu'ils avaient jusque-là parfaitement incarnée.

Alors que les Bronstein regagnaient leurs places, juste avant le début de la partie suivante, un homme vint les trouver : « Camarades, ce ne sont pas là des places pour les parents d'un prétendant au titre de champion du monde. » Après une hésitation prolongée et deux ou trois vaines tentatives de refus, le couple accepta à contrecœur de remonter l'allée centrale et d'occuper les deux places qu'on leur désigna dans une rangée médiane. Leur fils, agrandi par cette nouvelle proximité, pouvait maintenant les apercevoir, à condition de fixer un point précis dans l'alignement des visages, mais il se garda bien de sourire et plus encore de leur faire signe. Une partie après l'autre, les joueurs avançaient leurs pièces et appuyaient aussitôt sur la pendule, deux gestes indéfiniment répétés. Le vieux monsieur et sa femme espéraient à la fois la victoire et la défaite de leur enfant.

À mi-parcours, alors que le champion menait, les Bronstein se sont probablement demandé s'il n'était pas temps pour eux de regagner leurs anciennes places et de redevenir invisibles. Mais leur fils remporta une partie qui le mit à égalité avec son adversaire. « Camarades », revint leur dire le même personnage alors qu'ils quittaient la salle, « la scène est encore trop éloignée pour vos yeux âgés. Nous vous avons trouvé deux places encore plus près ». « Mais vous n'auriez pas dû vous donner tant de peine. Qui sommes-nous pour perturber un événement si parfaitement organisé ? » Leurs protestations demeurèrent sans effet. Essayant de se faire le plus petits possible, rouges d'embarras, ils regardèrent les parties suivantes à quelques rangs seulement de la scène.

Une fois encore Koroguine, le champion, reprit le dessus. Au moment précis où tout semblait indiquer que cet avantage allait décider du match, dans le public deux paires d'yeux âgés refoulèrent leurs larmes – de déception ou de soulagement? Le grand maître Bronstein remporta les deux parties suivantes et repassa devant. Il lui suffisait maintenant de remporter un point au cours des deux dernières parties, soit une victoire ou deux nuls consécutifs, pour décrocher le titre. «Camarades», leur demanda l'homme, toujours le même, «ces fauteuils ne conviennent pas, avec tous ces gens devant vous… Je vous prie d'accepter les places d'honneur au premier rang! J'insiste.» C'est ainsi que les Bronstein purent suivre l'avant-dernière et la dernière partie au premier rang, fauteuils du milieu, les yeux levés vers la chaise de leur fils. Derrière le père était assis le ministre de la Sécurité d'État. «Vous devez être très fiers. C'est un match captivant, n'est-ce pas?» Les boutons de cuivre, du haut en bas de son uniforme, scintillaient de mille feux.

Le grand maître Bronstein abandonna l'avant-dernière partie au cinquante-septième coup. Quant à l'ultime partie, elle se solda rapidement par un nul. Le champion l'emportait sur le fil, justifiant ce sauvetage *in extremis*, en conférence de presse, par une explication solide: il n'avait pas joué en public depuis trois ans. La supervision de l'*Encyclopédie*, lourde responsabilité, avait par ailleurs accaparé son temps. Ses bévues résultaient de cette inactivité involontaire, ce à quoi il allait promptement remédier. Koroguine n'eut pas un mot pour son adversaire, qui n'avait d'ailleurs pas été invité à la conférence de presse.

Chapitre 6

Enlisé après quatre nuls successifs, le championnat du monde Gelb-Koroguine reprit des couleurs dans la sixième partie. Un coup qui déjoua toutes les attentes. Et déclencha les vociférations d'un public galvanisé et insouciant. On assista à des scènes jamais observées dans aucun des championnats précédents. Mais au moment où je faisais ma toilette et me préparais, au matin de ce dernier samedi de mars, je ne pouvais imaginer le drame qui allait se nouer ce soir-là.

La matinée était plus ensoleillée que ne l'avait laissé prévoir la météo, et l'appartement baigné d'une douce lumière. Il y avait beaucoup de choses sur la table où ma femme et moi prenions notre petit déjeuner et où je m'installais souvent pour travailler les jours où je n'allais pas au journal, mais la lumière flatteuse n'en soulignait ni les quelques encoches ni les traces rondes laissées par les tasses de thé. Les liasses de feuillets posés en évidence – articles à demi écrits, manuscrits de nouvelles, coupures de presse, tout luisait d'un éclat particulier. Mon assiette de saucisses étincelait presque.

Devant le miroir de la salle de bains, pendant que mon reflet se rasait, je songeai à Koroguine. Des images du champion se préparant dans sa suite, très plausibles, me traversèrent l'esprit. Je le voyais debout devant son miroir, dans sa salle de bains, raclant méthodiquement de son rasoir une barbe blanchie de mousse et découvrant, au-dessous, des mâchoires rosâtres, qu'une aspersion d'eau de Cologne faisait virer à l'écarlate. Ses mains aux veines apparentes étaient énergiques : je les voyais prendre un savon Hermès, se savonner et se rincer sous le robinet chromé, malaxant la savonnette jusqu'à la faire mousser puis perler dans les longs doigts délicats. Je ne parvenais pas à imaginer le savon s'échappant de ces doigts experts pour partir en glissade sur le carrelage ou dans le lavabo émaillé. Je ne voyais que la serviette duveteuse, une fois la mousse épongée, sécher méticuleusement les mains. Ensuite, les petits ciseaux à ongles entraient en action, le champion cherchant à obtenir un poli précis, parfaitement proportionné à ses mains. Avant de quitter la salle de bains, il se regardait dans le miroir, ajustait ses lunettes et esquissait un sourire, *Hmm,* vite effacé.

Revenant à ma table, je suivais le champion en imagination. La suite était spacieuse, les murs à bonne distance les uns des autres. Dans une coupe de cristal, des fruits, des pommes, non, des poires d'importation – et un monticule de noix. Je voyais aussi des serviettes pliées en quatre. Et des draps, sans un faux pli. Des oreillers superflus. Une table en bois massif, parfaitement ordonnée, ni abîmée, ni tachée, soutenant un échiquier. Engagées dans l'action, les pièces répétaient de nouvelles tactiques. Je voyais les mains du champion avec leurs longs doigts effilés se saisir d'un pion comme pour en jauger le poids et le reposer sur une case voisine. Il tenait peut-être une configuration tentante, qui aurait mérité une préparation inhabituelle. Ou peut-être pas.

À ce moment précis, un coup frappé à la porte interrompit ma rêverie. Un *toc toc* familier. Je me glissai dans la salle de bains et tendis l'oreille pendant que ma femme allait ouvrir. La voix du concierge demanda si j'étais là.

«Non, encore un rendez-vous urgent», mentit ma femme.

Il y eut un silence.

«Ce n'est pas moi, vous savez, c'est ma femme. Elle a le béguin pour ce gars, Gelb. Impossible de trouver deux billets pour le match.»

Mon épouse répondit sur le même ton apaisant avant d'ajouter:

«Mais comme je vous l'ai déjà dit, il ne peut vraiment rien faire.»

Après son départ, l'odeur du concierge flottait encore sur le seuil de l'appartement. Je me remis au travail quelques heures. L'épilogue d'une nouvelle, en particulier, m'avait donné beaucoup de peine et j'écrivis, porté par la bonne humeur que m'avaient insufflée les rayons de soleil matinaux. J'avançais lentement mais avec plaisir, même quand le voisin entreprit d'écouter du jazz. La nonchalance de la musique multiplia les adjectifs dans mes phrases, les allongea aussi. Quand le disque s'acheva, j'entendis au loin, venue d'un étage plus élevé, une séquence de coups de marteau inlassablement répétée. Je levai mon stylo et attendis que le chien de l'appartement juste au-dessus du mien commence à répliquer au marteau par des aboiements, et puis je m'y remis. Ça m'était égal, j'avais l'habitude.

Parfois l'écriture achoppait sur quelque chose et dans ces moments-là je songeais de nouveau à Koroguine. À ses biceps de quinquagénaire dont il était si fier, ou à la musculature de son dos et de son torse. Je l'imaginais s'exerçant avec un extenseur. Je devais cette vision à une confidence d'un journaliste proche de Rudik, l'assistant du champion. Les exercices physiques quotidiens qu'il s'imposait suivaient un protocole immuable depuis trente ans. Chaque jour, il s'astreignait à ces étirements accompagnés d'exercices respiratoires. La vibration des ressorts, sa respiration sonore, le décompte. Le décompte était sans doute l'aspect qu'il préférait.

Le bus qui desservait le boulevard Tverskoï était en retard et à son arrivée, je n'eus que la place de me tenir debout et de me laisser aller au roulis, avec les autres passagers. De gant en gant, ma piécette remonta la chaîne de voyageurs qui me séparaient du receveur et quelques instants plus tard je vis un ticket revenir, de gant en gant, jusqu'au mien. Les passagers avaient facilité l'aller-retour de la pièce et du ticket sans broncher : je n'étais d'évidence pas le seul que la partie du jour absorbait entièrement. Plusieurs de ces porteurs de chapkas, longs manteaux et bottes fourrées, étaient travaillés par le suspense en cours. Ces hommes et ces femmes avaient tous prélevé quelques heures de leur existence individuelle pour se rendre ensemble, assis ou brimbalants, vers une destination commune. Chacun avec ses motifs d'excitation bien à lui, sa façon de vivre la passion, mais trouvant dans ce match un exutoire partagé. Un match qui se rapprochait un peu plus à chaque arrêt.

À chaque arrêt, la population du bus changeait : les passagers qui descendaient, inconscients de l'excitation qui régnait, ou incapables de la partager, cédaient la place à leurs successeurs. À chaque arrêt m'était assignée une nouvelle position dans la chaîne des piécettes et des tickets. J'avançais peu à peu le long de cette chaîne jusqu'à ce que personne ne me séparât plus du receveur. Juste derrière lui, deux hommes assis à hauteur de mes genoux soulevaient et déplaçaient tour à tour des sortes de jetons brillants sur un objet ressemblant à une blague à tabac. Sur celle-ci, qui faisait office d'échiquier velouteux, les jetons aimantés, revêtus d'un petit dessin distinctif, symbolisaient des pièces d'échecs. Chacun des deux joueurs récupérait à son tour cette tabatière qui évoquait à chacun de ces instants une trousse à couture, vérifiait l'emplacement de chaque jeton et en déplaçait un. Les jetons capturés étaient si adroitement glissés dans la trousse qu'il suffisait d'un instant d'inattention pour n'en rien voir. La rapidité du manège le rendait fastidieux et je fus bientôt las de fixer les incessants allers-retours et de voir les jetons se disperser, se regrouper, pivoter et disparaître.

Je redressai la tête et voulus regarder ailleurs mais la valse continuelle des jetons m'hypnotisait. Tout en se passant et se repassant la trousse, les deux hommes discutaient du match. Ils s'exprimaient aussi précautionneusement qu'ils jouaient, détachant chaque syllabe, prenant et cédant la parole à tour de rôle, alternant les phrases en un dialogue parfaitement coordonné.

«Le vieux le mène par le bout du nez», reprit l'homme à hauteur de mon genou gauche. Par «le vieux», il voulait dire Koroguine. Il avait dit «le vieux», quoiqu'il ne fût lui-même pas jeune et rendait même peut-être plusieurs années au champion en titre. L'homme à côté de mon genou droit, qui n'était pas jeune non plus, glissa un jeton dans la trousse et acquiesça : le champion menait le challenger «par le bout du nez».

Difficile de leur donner tort. Pour la troisième fois maintenant, le champion allait ouvrir avec les Blancs, mais dépourvu cette fois, et c'était inédit, de sa nervosité initiale. Aux échecs, le joueur qui ouvre la partie possède un avantage indéniable que les statisticiens ont tenté d'évaluer. Selon une estimation, sur cent parties non nulles, cinquante-cinq sont remportées par les Blancs. C'est pourquoi la confiance serait du côté de Koroguine – et ce alors même que les commentateurs avaient commencé à envisager un possible retournement du match.

À l'écoute de tels propos, que ce fût entre des passagers d'un bus ou dans la bouche de commentateurs officiels, je parvenais à discerner une certaine expertise. Le «système» du champion n'avait pourtant rien de secret : plusieurs articles parus dans la presse ne s'étaient pas privés d'éventer ses méthodes. Cinq mois plus tôt, le 29 octobre 1959, s'était achevé un tournoi de sept semaines ayant opposé Gelb à sept joueurs internationaux afin de désigner le challenger du champion du monde. Le 30 octobre, Koroguine et ses assistants s'étaient mis au travail. Ils avaient analysé, sur les trois années précédentes, toutes les parties disputées par Gelb. Lequel avait beaucoup joué : plus de deux cents parties officielles (contre soixante-six pour Koroguine pendant la même période). Les assistants épluchèrent les revues d'échecs, numéro par numéro, pour les retrouver. Le champion en dressa ensuite un inventaire. Il écarta certaines des plus anciennes, celles dont les stratégies étaient déjà périmées ainsi que d'autres, disputées sous l'influence néfaste d'une migraine ou de la fatigue et qui avaient donné lieu à de grosses erreurs. Il soumit les autres, jugées les plus représentatives, à un examen attentif et classa les parties dans différentes catégories selon les ouvertures ou certaines combinaisons spécifiques. L'ensemble de ces parties représentait des milliers de coups, peut-être dix mille en tout, parmi lesquels il s'attacha à reconstituer le fil des pensées de son adversaire. Comme s'il avait pu arriver à jauger précisément le «corps» de la pensée d'un joueur par le déplacement des pièces sur l'échiquier : de longues heures de calculs réitérés dans le but d'entrer dans la tête de son rival, et de comprendre, d'après toutes les parties qu'il avait disputées, son jeu, son style, la moindre de ses particularités, jusqu'au plus infime de ses tics.

«Prochain arrêt», fit quelqu'un derrière moi. Les deux hommes assis à la hauteur de mes genoux, qui en avaient assez de se creuser la cervelle et de plisser le front, levèrent sur moi des yeux brillants. La disposition des jetons, sur l'échiquier improvisé niché dans le giron de celui qui se trouvait à ma gauche, suggérait un nul. Il les fit délicatement glisser dans sa paume, la paume dans la trousse et la trousse dans la poche de son manteau. À la façon dont il la glissa, on aurait vraiment pu la prendre pour une blague à tabac.

Le bus s'arrêta pour laisser descendre les voyageurs. Tout le monde en descendit, sauf le chauffeur.

Au théâtre, je me faufilai tant bien que mal jusqu'à ma place, me glissant entre sièges et jambes. Après les applaudissements initiaux, le champion joua son premier coup, avançant de deux cases, à la surprise générale, le pion du Fou de la Dame. Ouvrir ainsi revenait à anticiper une lutte serrée. Au huitième coup, un trio de pions blancs crânement alignés dominait le centre de l'échiquier. Mais le visage du challenger ne révélait que son calme.

C'est au quatorzième coup que Gelb consacra sa première réflexion réellement soutenue. Il lui fallut seize minutes pour amener la Tour-Roi sur l'aile Dame. Seize minutes, soit exactement le temps qu'il avait pris pour effectuer l'ensemble de ses treize coups précédents. Le challenger cherchait sans doute sa voie dans le maquis des détours et diversions que recelaient les diverses suites possibles. Une heure seulement après le début de la partie, les positions respectives présentaient déjà assez de singularités pour appeler les commentaires les plus experts.

La deuxième heure n'occasionna que trois coups de part et d'autre. C'est au cours de cette deuxième heure que l'état d'esprit du joueur d'échecs change de régime. Les proportions sont bouleversées : certaines pièces, certaines cases de l'échiquier se mettent soudain à bourgeonner aux dépens des autres. Lesquelles, pendant un moment, ne reçoivent plus qu'une attention très limitée, s'étiolant peu à peu pour revenir brusquement à la vie après un coup inattendu de l'adversaire. Chaque mouvement sur l'échiquier menace alors d'en accentuer les turbulences. Un effort intense et ininterrompu est requis pour restaurer un équilibre précaire et refouler d'éventuelles sensations nauséeuses. C'est au cours de cette heure que les joueurs commettent leurs premières erreurs, manœuvre imprécise, prise superflue, qui feront le lit de leurs faiblesses futures.

Reposant sa tasse de café sur la soucoupe, Koroguine joua son dix-huitième coup à dix-huit heures : la Tour du Roi blanc reproduisit les déplacements effectués quatre coups plus tôt par son homologue noire. Apparemment chacun des deux joueurs se concentrait maintenant sur l'aile Dame. Un quart d'heure s'écoula et la Tour-Dame de Gelb répliqua en rejoignant l'autre Tour noire sur sa rangée – où l'on retrouvait donc trois Tours (deux noires et une blanche) alignées sur un même axe.

Le calme du challenger avait fait place à une expression d'intense concentration. La tension dont la scène était maintenant la proie se communiqua aussitôt à la salle qui se mit à bruire de murmures. Des explications entre voisins s'esquissaient, butaient sur des obstacles, se perdaient en chemin. Pour illustrer ces explications, on avait recours à de petites tabatières, comme celle que j'avais observée dans le bus, ou autres jeux portatifs qui permettaient de reproduire les coups des grands maîtres. En longeant ma rangée pour gagner le hall d'entrée, j'interrompis dans ses délibérations un amateur penché sur un échiquier de ce genre. Je voulais connaître les pensées des maîtres rassemblés avec les journalistes dans la salle de répétition, transformée en salle de presse depuis le début de la rencontre. Pour toute la durée du championnat, les costumes et accessoires chamarrés qui agrémentaient habituellement ces lieux avaient été remisés en coulisse, sous des housses de protection. On accédait à cette pièce toute proche de la grande salle par une succession de couloirs. Arrivé sur le seuil, j'entendis un brouhaha à l'intérieur. Je découvris des machines à écrire sur lesquelles on dactylographiait dans toutes les langues les moments forts de la partie. Plus d'épées de bois ni d'arbres en carton, mais des téléphones fraîchement installés et permettant d'effectuer des appels longue distance aux rédactions des envoyés spéciaux, à Belgrade, Paris ou New York. Au lieu d'acteurs et d'actrices endossant les robes à volants et les chapeaux de pirates, brandissant leur épée ou chantant derrière les arbres de carton-pâte, des maîtres d'échecs tentaient d'expliquer les arcanes de la partie en cours aux reporters.

Mais ces maîtres étaient divisés et semblaient en désaccord sur à peu près tout. Votre point de vue dépendait donc étroitement de l'expert auquel vous vous adressiez. Selon l'un, le champion possédait un avantage mineur, mais indéniable. Selon un autre, c'était au contraire le challenger qui s'était assuré, pour l'instant, une légère avance. D'autres encore insistaient : les deux armées en présence, Noirs et Blancs, restaient pour l'instant strictement à égalité. L'analyse du quinzième coup de Koroguine constituait une source de contentieux majeure : vingt minutes de réflexion, soldées par un modeste déplacement de la Tour-Dame d'une unique case vers la droite. Manœuvre que tous s'accordèrent à juger capitale. Mais les avis divergeaient sur le point de savoir si c'était la plus pertinente. Une personnalité de l'envergure de Zivonovic, grand maître yougoslave, affirmait que ce déplacement avait été sérieusement discrédité par les deux coups suivants du challenger. Le grand maître Hajek n'était pas d'accord. Selon lui, la stratégie du champion était d'une précision inégalée. Entre ces deux versions, semblait-il, les autres maîtres se partageaient en nombre à peu près égal.

Le champion joua son coup suivant à l'heure passée de vingt minutes. Un messager, peut-être un machiniste qui travaillait ordinairement en coulisse, vint l'annoncer aux maîtres impatients. Chacun se précipita vers le tableau magnétique qui lui avait été assigné et positionna le Roi blanc aimanté sur sa nouvelle case. Debout devant le tableau du grand maître Hajek, je reculai un peu pour admirer le spectacle. Les Tours blanches côte à côte dans le coin inférieur gauche donnaient une impression de puissance concentrée. Effet contrebalancé par l'alignement vertical des deux Tours noires. Les pions blancs, au centre, semblaient fragiles. Et au milieu de la bordure droite, vaguement incongru, le Cavalier noir apportait une touche de je-ne-sais-quoi.

« Qu'en pensez-vous ? », demandai-je au grand maître. Il inclina la tête sur le côté, examina son tableau magnétique et sourit. Selon lui, cette partie sentait le nul. Une conclusion qui s'imposerait d'elle-même d'ici dix à quinze coups. Et comment imaginait-il le prochain coup du challenger ? « L'un des pions du flanc Dame, je suppose. » Le pion de la Tour-Dame était en effet attaqué et sans défense.

Je fis le tour des autres tableaux pour recueillir les pronostics de chaque grand maître. Plusieurs prédisaient que la Dame noire allait reculer illico pour protéger son pion. D'autres voyaient le Roi noir revenir à la case qu'il occupait précédemment. Mais l'annonceur, quand il revint, le front dégoulinant de sueur à force d'allées et venues, n'annonça ni un mouvement des Noirs sur l'aile Dame, ni la retraite de la Dame ou du Roi noirs. Le challenger avait avancé un pion noir sur l'aile Roi, appâté par la vulnérabilité des pions blancs centraux. Un coup audacieux, non sans risques, dans la mesure où le Roi noir paraissait de plus en plus exposé. Autour de lui, l'espace se dégarnissait.

Koblents pénétra dans la pièce. Le coach de Gelb avait quitté son fauteuil à la table des juges pour se joindre aux spéculations. Il avait l'habitude, me dit-on, lorsqu'on jouait un coup « intéressant », de se rendre en salle de presse pour l'analyser. Papov, de *Sovetsky Sport,* le héla :
« Qu'est-ce que Gelb a donc en tête ?
– Comment ? Vous pouvez répéter ?
– Votre gars, qu'est-ce qu'il nous mijote ?
– Qu'est-ce qu'il mijote ? »
Koblents haussa mollement les épaules. Mais Papov et les autres reporters cédèrent au surcroît d'excitation que déclenche habituellement chez les journalistes une question laissée sans réponse. À leurs interrogations pressantes, Koblents répliqua par de nouveaux haussements d'épaules et une série de « pas la moindre idée ».
Il gagna l'un des tableaux de démonstration mis à la disposition des maîtres et se mit à déplacer les pièces magnétiques en anticipant toute une série de développements possibles au cours des phases suivantes. Noirs et Blancs adoptaient des

configurations qui se désagrégeaient presque aussitôt, un peu comme des nuages. À deux ou trois reprises, il s'arrêta et tapota légèrement son tableau – jubilant de ces petits coups qu'il donnait – avant de poursuivre, captivé par le plaisir que lui inspiraient son entrain et la consternation des gens de presse. Il semblait céder à son allégresse, ne jouant que pour lui-même jusqu'à ce que sa démonstration n'eût plus rien à voir avec la partie en cours et qu'il fût impossible de retrouver, au point où il en était arrivé, la position originelle de toutes ces pièces.

Le messager ne cessait d'aller et venir. Je repris les couloirs et traversai le hall pour regagner la salle dans laquelle régnait, après trois heures de jeu, une atmosphère dense, chaude et enveloppante. Je remarquai la forte odeur de poussière et de velours mêlés. En rejoignant mon siège je ne cessai de jeter des coups d'œil curieux vers la scène. Koroguine sirotait son café en attendant le vingt et unième coup de son adversaire. Il buvait lentement, une gorgée après l'autre, exhibant les jointures de ses mains. Me laissant choir dans mon fauteuil, j'inspirai profondément.

Les mains posées sur ses cuisses, à l'abri des regards, Gelb observait le champion, rencogné dans la chaise qui lui faisait face. Une cigarette pas encore allumée était posée à côté de son coude. Ses yeux évitaient soigneusement l'échiquier. Quand il regardait le public, on entendait s'élever bruissements et murmures. Incertain, nerveux, distrait, le regard du challenger ressemblait à un aveu et la salle bourdonnait de rumeurs sur sa situation. Un spectateur glissa que Gelb avait poussé sa chance trop loin, qu'une erreur commise quelques coups plus tôt le plaçait à présent en fâcheuse posture. D'autres tenaient des propos similaires. Je sentis quelqu'un, dans la rangée juste derrière moi, se pencher en avant et appliquer une claque sur le fauteuil d'un critique de Gelb. Une claque violente. Ce qui me donna envie d'en faire autant. Le challenger ne quittait pas sa chaise, ni sa cigarette. Il regarda en l'air, comme s'il cherchait quelque chose au plafond et devint subitement très rouge, comme un écolier qui vire à l'écarlate. Puis il joua : sa main gauche se posa sur le Cavalier positionné en bordure d'échiquier, le souleva et le reposa avec un bruit sec sur une case qui ne semblait pas la bonne. Une case à côté de laquelle un pion de Koroguine l'attendait pour le capturer. Sacrifier un Cavalier ! Un tel échange n'avait guère de sens : dans l'économie des échecs, un pion ne vaut qu'un tiers de Cavalier.

Mais je n'eus guère le temps de comparer les mérites respectifs des pions et des Cavaliers. En un instant, la scène disparut derrière une foule hurlante qui s'était subitement dressée. Dans les allées les gens sautaient, se poussaient, agitaient frénétiquement les bras. De chaque siège montaient un cri, un glapissement, un éclat de rire sonore. Le théâtre était plongé dans un formidable tohu-bohu.

Me levant moi aussi, je vis l'un des juges posté au bord de la scène, le grand maître suédois Stalberg, demander par gestes le silence. Il commença par porter son index à ses lèvres comme on le ferait pour faire taire un enfant agité, et devant son insuccès avéré recommença, cette fois avec les deux index. Mais ses doigts menaçants ne firent taire personne et pendant quelques instants, le visage joufflu de l'arbitre exprima la panique. Son alter ego, le grand maître britannique Laughton, vint le rejoindre à l'avant-scène et de ses longs bras minces, entreprit de frapper dans ses mains. Stalberg soufflait sur ses index, Laughton frappait dans ses mains. Tous deux complètement ignorés du public.

Pauvres arbitres, manifestement à court de gestes! Les bras le long du corps, leurs têtes chauves inclinées, ils offraient l'image même du découragement. Ils sursautèrent lorsque l'assistant de Koroguine, Rudik, qu'ils n'avaient pas entendu approcher, les tira par la manche. Impossible, voilà ce que Rudik leur exposa sans doute d'abord, impossible pour les joueurs (il voulait dire Koroguine) de continuer à jouer dans ce vacarme. *Dans ce quoi? Vacarme! Vacarme, nom de nom!* C'est pourtant exactement ce que firent le champion et son challenger : ils poursuivirent leur partie malgré le brouhaha.

Quelques minutes après le coup de Gelb, Koroguine, impassible, avait dûment éjecté le Cavalier noir de l'échiquier.

Cette prise entailla la ligne des pions qui défendait le Roi blanc. Une configuration compliquée, riche de menaces et de ripostes, où j'étais bien incapable de discerner une voie rapide vers la victoire.

Pourquoi donc Gelb avait-il fait le sacrifice d'une pièce aussi précieuse que son Cavalier? La tension continuelle imposée par la stratégie de son adversaire avait-elle fini par ébranler sa lucidité? Le jeune challenger avait-il laissé son impulsivité le désarçonner, lui dérober les rênes? Les coups suivants le diraient sans doute.

Gelb prit le pion du champion, bien pauvre contrepartie pour son Cavalier, et quitta la table. Je me demandai, à la façon dont il repoussa sa chaise, s'il éprouvait un quelconque regret. Il ne prit pas sa cigarette, ne jeta pas un regard au grand échiquier témoin, ne se dirigea pas vers la coulisse pour attendre. Il fit les cent pas sur la scène, mains dans les poches, sourcils froncés, regard fixé au sol.

Des messages d'encouragement saluaient chacun de ses pas. «Fonce-lui dessus avec ton Cavalier!», hurla un homme assis une rangée derrière moi, clairement le plus excité. Le public éclata de rire. Derrière, d'autres spectateurs enjoignaient au challenger d'achever le champion. On entendait des bordées de jurons, chacune plus colorée et sincère que la précédente. Les meilleures émanaient d'un duo de babouchkas passablement remontées, assises deux rangs dans mon dos.

Sourd aux cris et aux injures, sa tasse de café lui réchauffant les paumes, Koroguine surveillait l'échiquier. Il affichait l'impavidité d'un authentique champion. Sa dignité me toucha et m'ébranla, au point que mon agacement à son égard me fit soudain honte. La noble gravité du champion rayonnait sur toute la scène. Lorsqu'il joua, quelques instants après, les applaudissements furent unanimes. Gelb, de retour sur sa chaise, prit note du mouvement de son adversaire et fixa le plafond.

Sur la scène, ils étaient de nouveau six, comme au début. Koblents était revenu de la salle de presse pour participer au débat entre Rudik et les arbitres. Le quorum étant atteint, les quatre hommes discutèrent de la décision à prendre. Jouer, dans les circonstances présentes, tenait de la mascarade, tel était du moins l'avis de Rudik. Un article du règlement stipulait qu'en cas de perturbations venues du public, la partie pouvait se poursuivre dans une pièce située en coulisse et à huis clos. Mais Koblents objecta : en coulisse ? Pourquoi priver le public de ses joueurs ? Laissons-lui quelques minutes supplémentaires pour se calmer. Quelques minutes de plus ? J'ai la tête qui explose et vous voulez attendre quelques minutes de plus ? La réaction de Rudik, sorti de ses gonds, était compréhensible. L'humeur est par définition versatile. Mais la colère de l'assistant du champion reposait sur une vision du jeu ; sa réaction était celle d'un homme blessé et scandalisé. Les échecs, comme bien d'autres activités, obéissent à des codes implicites. Dans une partie sérieuse, tous les coups possibles ne sont pas pour autant à tenter. Certains déplacements du Cavalier (aussi bien de la Tour, de la Dame ou du Fou) ne se font tout simplement pas : trop insensés, trop extravagants. Gelb, avec son impudent Cavalier, avait plongé la salle dans une tempête de cris et de rires – était-ce là l'exemple qu'il voulait donner ? Un challenger participant au championnat du monde avait une responsabilité... Des millions de gens, à travers la radio ou la presse, allaient décortiquer son attitude. Sa partie servirait de modèle.

Tel était l'argument que Rudik devait plaider auprès des juges.

Les clameurs qui montaient de la salle renforçaient sa position : juste au moment où elles semblaient décroître, s'apaiser, se dissiper même, voilà que se rallumaient de nouveaux foyers d'agitation, de nouveaux cris émanant de spectateurs jusque-là silencieux, les sources de décibels changeant de place, mais pas d'intensité. Tournant le dos au vacarme, Koblents plaidait la patience, pressentant sans doute que la cause était entendue. C'était assez évident. Quand il se tourna enfin vers le public pour lui faire face, son attitude exprimait une complète résignation.

La décision était prise. Le quatuor des arbitres et des entraîneurs se dispersa et l'on demanda aux joueurs de quitter la scène par les coulisses. On avait sans doute organisé en toute hâte la salle qui devait les accueillir : une table, quelques chaises, un échiquier reproduisant à l'identique la situation après le dernier coup, des pendules, des stylos et du papier, un arbitre. Mais pas de public. L'échiquier géant serait désormais le seul trait d'union entre joueurs et spectateurs.

Les spectateurs étaient suspendus à chaque coup des joueurs. Le silence gagna la salle dont tous les regards scrutaient l'échiquier au-dessus des chaises vides. Les fauteuils couinèrent une fois encore sous le poids des corps qui s'y renfonçaient, çà et là les tabatières et autres échiquiers de poche refirent leur apparition. Il était déjà huit heures du soir. On n'entendait plus un bruit, mais personne ne semblait le regretter. Après tout, il y en avait bien assez dehors, dans tous ces immeubles aux appartements décrépits affligés de planchers grinçants et de cloisons trop minces, plus qu'assez pour être vraiment impatient de le retrouver. Non, ce n'était pas le bruit qu'étaient venus chercher ces spectateurs.

Nous, puisque les spectateurs et moi ne faisions qu'un, savourions ce qui avait remplacé le bruit, ce magnifique senti-ment : comme la vie est imprévisible ! Elle contredit tous les pronostics, les habitudes, les opinions admises. Et comme cette sensation est excitante ! Redoutable et prometteuse à parts égales, entre tickets de loterie gagnants et demandes en mariage. Les humains ont de l'espoir plein la tête. L'ambiance dans la grande salle se faisait révérencieuse. Même les murmures s'étaient tus. Dans un tel silence, se lever et gagner la salle de presse me paraissait impensable. Je n'osais pas déranger une fois encore le propriétaire de la tabatière assis sur le fauteuil voisin du mien. Qui sait quels espoirs il nourrissait en ce moment même ? Des files d'attente plus courtes, un meilleur salaire, être la fierté de son père... Autant de rêveries certes plus précieuses que mon besoin de me dégourdir les jambes. Si j'étais sorti, j'aurais eu l'impression de trahir ses rêves.

Je n'ai donc pas bougé et j'ai regardé. Le grand échiquier n'avait rien pour décevoir : en échange d'un unique pion, Gelb avait renoncé à son Cavalier, mais ce pion était entretemps arrivé à la septième rangée, d'où il perturbait les forces pourtant plus importantes du champion. Qui se trouvèrent bientôt complètement désorganisées. L'armée légère des Noirs s'enfonçait dans le territoire des Blancs avec une remarquable aisance. Les Fous noirs se montraient particulièrement agiles. Après plus de quatre heures de jeu, les mouvements d'un côté comme de l'autre se firent plus rapides et plus denses. Le challenger jouait à une vitesse impressionnante : je calculai que du vingt-huitième coup de Gelb jusqu'à son trentehuitième, soit onze déplacements successifs, il s'était écoulé à peine dix minutes. Pas même une minute de réflexion par coup – quand Koroguine demandait pour sa part un délai de réflexion deux fois plus long.

J'avais craint qu'après le sacrifice de son Cavalier, le challenger ne se trouvât en position d'infériorité. Je constatais maintenant que ce sacrifice avait constitué pour lui une excellente affaire. À ce stade de la partie, au vu de la configuration des pièces, le pion de Gelb avait fini par valoir bien plus que le Cavalier de Koroguine. Il surpassait même une Tour – qui vaut en principe cinq pions – voire une Dame, que les manuels présentent comme équivalant à la totalité des pions. C'est l'une des joies créatives du joueur d'échecs – la chance de jouer avec les valeurs attribuées à chaque pièce – que de pouvoir créer sa propre économie : les valeurs grimpent alors ou s'effondrent selon la place des pièces sur l'échiquier et les possibilités d'action qui sont les leurs. Une Tour gênée par ses propres pièces ne sert pas à grand-chose, pas plus qu'une Dame qui boude dans son coin – mais comme il vaut cher, le pion qui va vous faire décrocher le pactole !

Le champion renonça pour de bon au quarante-septième coup, mais il fallut attendre un moment pour que la nouvelle parvînt au public. Jamais jusqu'alors paire de chaises vides n'avait reçu pareille ovation. Le challenger venait d'inscrire sa deuxième victoire dans le match et menait désormais 4-2. Mais Gelb ne reparut pas sur scène, comme s'il était intimidé par sa propre victoire. Je n'appris que plus tard qu'il s'était éclipsé par une porte dérobée, à l'arrière du théâtre, et qu'il avait pris un taxi (il n'avait pas son permis de conduire). Dans la salle de presse, les commentateurs disséquaient déjà sa victoire.

Chapitre 7

Lundi matin, de retour au bureau, je trouvai Ion Alexandrovitch d'humeur maussade. Cela n'avait rien à voir avec le résultat de la partie du week-end, sur laquelle il professait une complète ignorance. En dépit de son âge, il ne faisait pas partie des supporters de Koroguine.

Ion Alexandrovitch était le chef du service courrier de mon journal. «Ça n'aura donc jamais de fin», maugréa-t-il en indiquant de la barbe les lettres encore fermées qui s'empilaient aux quatre coins de mon bureau. Sa déploration s'accompagnait d'une nuance de reproche à mon intention. «Et ce n'est qu'un début, figure-toi, parce que tes scribouillards du dimanche sont en train de submerger les bureaux de poste.»

Mes scribouillards du dimanche. Il avait raison, c'étaient bien mes comptes rendus, ainsi que les problèmes imaginés par mon collègue de la rubrique échecs, qui avaient alourdi plus que de raison la charge de travail d'Ion Alexandrovitch : en l'espace de deux semaines, son service avait reçu l'équivalent d'une année complète de courrier.

«Bien sûr, il n'y a pas de mal à retracer les parties dans le détail, poursuivit-il. Avec, pourquoi pas, quelques descriptions pittoresques. » Il butait sur l'expression « descriptions pittoresques », qui semblait le perturber. « L'énumération minutieuse des coups n'a jamais fait de mal à un lecteur. » Et après une courte pause : « Dans le bon ordre, de préférence. »

La cause du mécontentement d'Ion Alexandrovitch était mon article qui occupait deux pleines pages du numéro de la veille. Mon compte rendu de la sixième partie, celle qui avait valu à Gelb sa deuxième victoire, avait été le plus long jamais publié dans ces colonnes, reléguant en fin de journal un décret de la Cour suprême « sur la pratique judiciaire dans les procédures concernant des kolkhozes ».

« Drôle d'idée, quand même, de faire passer les échecs avant les procédures judiciaires impliquant des fermes collectives, insista Ion Alexandrovitch. C'était quand, la dernière fois que la Cour suprême a émis un décret sur les échecs, si tu me permets cette question ?

– Tu dois le savoir. Mais toi, tu es surtout jeu de dames, il me semble, répondis-je.

– Ah, les dames. Ça c'est un vrai jeu ! Son visage s'éclaira. Un jeu pour gens sérieux. Autre chose que les sornettes dont tu nous soûles sur deux pleines pages. »

Penché sur ma machine, je riais sous cape.

« Tu aurais au moins pu adopter un ton un peu plus sobre. » C'était bien ce que j'avais fait.

Il soupira. « Ce sont les Lettons qui écrivent les lettres les plus longues. »

Je levai les yeux vers lui. « Tu ne m'avais pas dit que c'étaient plutôt les Géorgiens ?

– Ce n'est pas le même genre de lettres. »

Début et fin de l'explication. Ça faisait dix-huit mois que je travaillais dans ce journal et pour la première fois, Ion

Alexandrovitch et moi nous aventurions au-delà du simple échange de politesses. Quelqu'un l'appela, mais il repoussa la demande d'un geste. « Ce n'est que le début, répéta-t-il, la main posée sur l'une des piles d'enveloppes. Rappelle-toi ce que je vais te dire : les lettres, à force, elles nous sortiront par les yeux. »

Je souris. Comme mes collègues, j'avais beaucoup de respect pour le travail d'Ion Alexandrovitch. Confronté aux écritures les plus baroques, il ne se trompait jamais de classeur. Il ouvrait, parcourait et triait la totalité du courrier pour le compte du rédacteur en chef et des autres membres de l'équipe. Savait dompter ce raz de marée de commentaires ombrageux pour en extraire un florilège subtil et pertinent. Et maniait son attirail avec une dextérité inégalée : la dernière fois qu'il s'était coupé, plastronnait-il souvent, c'était en 1947, quand un Kirghize avait écrit pour remercier publiquement Staline d'avoir remplacé ses chevaux de trait par des tracteurs.

« Que vas-tu faire de toutes ces lettres ? », demandai-je.

Ion Alexandrovitch semblait lire dans mes pensées car il répliqua aussitôt : « Tout ce bon papier ? Il ne finira pas à la poubelle. » Il se pencha par-dessus le bureau et avec un ton de conspirateur : « Ces enveloppes vont m'aider à isoler les murs de mon appartement. »

Je crus qu'il plaisantait mais il m'expliqua que tous ces timbres-poste différents pouvaient composer un intéressant motif de papier peint. Beaucoup d'entre eux célébraient des artistes du monde entier. Il avait un faible pour celui qui représentait Mark Twain, « un type à l'air distingué ». Sur mon bureau, les rares Twain étaient largement surclassés en nombre par les Schumann et les Milton. Pas grave, m'assura-t-il, il continuerait d'en arriver d'autres, et quand il en aurait amassé une quantité suffisante, il s'en servirait pour décorer le coin lecture de son salon. Les timbres floraux – tulipes rouges, trolles orangés d'Asie, crocus violets géants – étaient destinés à la chambre de sa fille. Ainsi Ion Alexandrovitch avait une fille ? Pas seulement une fille, reprit-il. Quatre enfants dont trois garçons. Le plus jeune âgé de huit ans. Il réservait à leur chambre les timbres figurant la lune et ceux qui reproduisaient les paysages enneigés de l'Antarctique.

Et le timbre édité pour marquer le championnat du monde d'échecs (une Tour noire et un échiquier derrière une branche de laurier) ?

« Je mettrai des timbres d'échecs sur mes murs le jour où ils éditeront un timbre en l'honneur du jeu de dames. »

Ses enfants jouaient-ils aux échecs ?

Ion Alexandrovitch grimaça : « Je ne le leur interdis pas. » Le plus jeune préférait jouer avec les lettres de lecteurs. Avec les lettres ? Oui, il les pliait pour en faire des avions de papier et les lançait dehors par la fenêtre de la chambre.

Telles furent les confidences d'Ion Alexandrovitch.

Sur le point de partir il se retourna et me dit : « J'ai failli oublier de te remettre ceci ». Il jeta une enveloppe froissée sur la machine à écrire. Non timbrée. Encore un message de Gelb. Alexandrovitch haussa les épaules. Il ne faisait pas partie, non plus, des supporters du challenger.

Gelb me demandait de le retrouver à l'hôtel Moskva à quinze heures pile. Il avait sans doute décidé d'y tenir une conférence de presse. C'était chose rare qu'un prétendant au titre mondial convoquât les journalistes au beau milieu d'un match. Mais la sixième partie avait brutalement altéré l'opinion que la presse se faisait de lui. Depuis la soirée de samedi, les titres étaient nettement plus mitigés ; pour la première fois le challenger avait eu droit à de mauvais articles. Alors qu'après sa victoire dans la première partie, la plupart des commentaires avaient salué son panache et son originalité, les mêmes auteurs ne parlaient désormais que de bluff et de chance – une chance insolente.

Les colonnes d'analyses qui étayaient leurs théories entendaient démontrer que le vingt et unième coup du challenger, avec son Cavalier noir, se réduisait à un flottement indécis, un pari par trop risqué, une bourde qui n'aurait mérité que la défaite. Dans les manœuvres du challenger, écrivaient-ils, on décelait une certaine impudence, une forme de désinhibition contre laquelle le champion – trop confiant dans la logique, y compris celle de son adversaire – cherchait encore ses marques. On citait même sans révéler son nom un grand maître qui promettait d'arrêter les échecs en cas de victoire du challenger. Mes deux pages représentaient une rare exception dans ce consensus journalistique : je me refusais à juger la qualité et les motivations de la stratégie du challenger.

Je reposai la feuille de papier qui tremblait dans ma main. J'étais en proie à un tel afflux d'émotions que je parvenais à peine à les identifier. Je jetai un coup d'œil à l'en-tête du papier à lettres, à son blason aux caractères gras et anguleux, et mes tempes se serrèrent. L'hôtel Moskva était à Moscou ce que le Ritz était à Londres, le Crillon à Paris : un endroit où diplomates et stars de cinéma dînent, échangent des poignées de main. Comment aurais-je pu me sentir à ma place en un tel lieu ? Avec mon complet à carreaux et ma cravate maculée d'encre de machine ? Et au fait, quand mes cheveux avaient-ils vu un coiffeur pour la dernière fois ? Ma frange était décidément trop longue. Et pas nette.

Pour faire honneur au Moskva, je quittai mon bureau et me payai une coupe. Après avoir fait la queue chez le coiffeur, je courus faire encore une fois la queue, pour m'acheter un costume. Malheureusement, ils étaient en rupture de cravates noires. Je dus donc me rendre dans un deuxième magasin, à quelques rues de là. Avec ma coupe toute fraîche, mon costume impeccable, ma bourse plus plate et une heure devant moi, je me souvins soudain de mes chaussures. Revenant à la hâte au journal, j'empruntai un peu de cirage au chef du service affaires étrangères et me fis un devoir de raviver leur lustre. Alors et alors seulement m'estimai-je fin prêt.

Quand on s'achète un nouveau costume, il faut souvent un peu de temps pour s'y habituer. Ainsi vêtu de pied en cap, je m'installai dans le taxi, m'efforçant de m'habituer à ce nouvel accoutrement. Mais la position assise était inconfortable, les mouvements brusques incommodes. Quand je levais le bras pour étouffer un éternuement, le tissu me pinçait la peau du torse. Je me tortillais dans ma veste comme en une camisole de force, testant les limites de mon inconfort, essayant de rétablir peu à peu une amplitude respiratoire normale. J'avais l'impression d'habiter le corps d'un autre.

Le taxi me déposa place Manejnaya. J'ouvris aussitôt mon parapluie (autre accessoire emprunté au chef du service étranger), car il tombait une neige humide. Je tendis le cou, autant que mon costume le permettait, et regardai en l'air, de plus en plus haut. L'immensité de l'immeuble tout de béton et de verre était à la hauteur de la réputation de l'hôtel. Des fenêtres, des fenêtres et encore des fenêtres. Je repensai au fils d'Ion Alexandrovitch, âgé de huit ans. Pour balancer du courrier par la fenêtre, il ne devait pas y avoir mieux, dans toute la ville, que cet immeuble-là. Je me demandai quelle distance pourrait parcourir dans les airs, lancée correctement et par temps favorable, une lettre impubliable habilement pliée et façonnée. Je les voyais plonger d'ici, tournoyer, battre des ailes, ces oiseaux de papier, moineaux, jaseurs et autres becs-croisés...

Le flux des passants qui se dirigeaient vers la station de métro ou en revenaient me séparait du portier. Entre deux chapkas et parapluies, je jaugeai à sa mise l'opulence de l'hôtel : l'étoffe épaisse et matelassée du manteau, la netteté des coutures et, plantées dans deux mares de neige fondue, les lourdes bottes de cuir. Cette étoffe et ces bottes m'enjoignaient de produire la meilleure impression possible. Je sortis ma carte de presse et, dès que le flot s'interrompit assez pour me livrer passage, me dirigeai droit vers la porte. Mais le portier resta de marbre. À la vue de ma carte de presse il fronça d'épais sourcils givrés et renifla d'un air méprisant. Sa tenue l'autorisait à se moquer ouvertement de ce genre de sésame. Un visage étranger, des bijoux ostentatoires, un passeport diplomatique, il fallait au moins cela pour l'émouvoir. «Conférence de presse», marmonnai-je. «Je suis ici pour la conférence de presse», mais ces mots, comme ma carte, le laissèrent complètement indifférent. La manche de son manteau n'avait pas frémi. Mon assurance très étudiée m'abandonna. Le gentleman guindé à parapluie céda brusquement la place à un monsieur agité qui extirpa de sa poche la lettre de Gelb et la brandit, l'en-tête bien visible. Et maintenant ? Le portier réagit avec un temps de retard. Puis, finalement, à mon soulagement, reculant d'un pas il étendit son grand bras vers la porte.

Je pénétrai dans l'atmosphère chaude et renfermée du lobby, d'une taille extravagante, illuminé à en dilater l'iris. Le portrait de Lénine, au-dessus de la réception, me semblait un peu esseulé sans son ex-compère. Je le plaignis aussitôt, m'identifiant à lui. Je ne savais où poser mes yeux. Au loin discutaient de petits saris émeraude, plus étranges encore du fait de la distance. Plus près de moi des Asiatiques en costume à fines rayures, la bedaine décomplexée, récupéraient leur clé à la réception. Une équipe d'employés très internationale multipliait les sourires courtois. Et cependant ma confiance, quelque peu revigorée depuis la confrontation avec le portier, s'évapora promptement. Pas un journaliste en vue, pas même un stagiaire en train de réviser sa liste de questions. Rien ici n'évoquait l'imminence d'une conférence de presse. Je restai quelques instants immobile, pétrifié. J'étais d'autant plus désarmé que je n'avais pas envisagé d'alternative – le temps consacré à mes courses m'avait empêché de donner les coups de fil et d'effectuer les discrètes investigations qui précèdent d'habitude les événements exceptionnels.

La jeune femme assise à la réception ne me facilita pas non plus les choses. À mon approche son large sourire se figea. Les imposantes matrones qui la flanquaient se retrouvèrent subitement pendues au téléphone. J'hésitai. « Otchik », fis-je enfin, rejetant en arrière une frange inexistante. La courtoise jeune femme, au style cosmopolite, renifla. « La conférence de presse de quinze heures. Regardez, voici ma carte », insistai-je, mais au même moment je fis tomber le parapluie posé à ma droite. Blang ! La jeune femme réprima un gloussement. Négligeant le parapluie grand ouvert, je dépliai la lettre à en-tête. « Mikhail Nekhemievich Gelb, soufflai-je en articulant presque théâtralement ce nom, m'a envoyé cette invitation en personne. » La femme décrocha son téléphone.

« C'est la réception, passez-moi l'administrateur, s'il vous plaît. » Ce *s'il vous plaît* m'était destiné. L'en-tête de ma lettre avait exercé son charme. Elle reposa le combiné et me dit qu'elle essaierait de nouveau une ou deux minutes plus tard.

« Asseyez-vous. » Puis, à intervalles rapprochés, pendant la demi-heure qui suivit, je l'entendis répéter plusieurs fois : « L'administrateur, s'il vous plaît », demande à chaque fois suivie du même clic sourd. En patientant dans mon fauteuil profond, je me reportai en esprit quatre ans auparavant – oui, cela faisait quatre ans maintenant – et plus précisément vers l'article dans lequel le nom de Mikhail Gelb était apparu pour la première fois. L'article parlait de ce jeune homme de dix-neuf ans, natif de Riga, vainqueur d'une merveilleuse partie lors de son premier championnat d'URSS : la partie dite de la Marche du Roi, qui a donné lieu depuis à tant de commentaires. À partir du vingt-cinquième coup, le Roi blanc de Gelb avait brusquement abandonné le petit groupe de pions qui le protégeait pour se projeter, sans soutien, au cœur du territoire ennemi, traversant l'échiquier d'un bout à l'autre, case après case, apparemment invulnérable à la Tour, au Cavalier et au Fou noirs. Une démonstration audacieuse de la part d'un joueur encore si jeune, si peu expérimenté. Mais Gelb savait ce qu'il faisait. Son adversaire, le maître Lizitsine, s'appuyait, lui, sur une longue expérience de la compétition ; deux ans plus tôt il avait même fini le championnat dans le « top 5 ». Pourtant, face à Gelb, Lizitsine avait déchanté : il avait terminé le tournoi bon dernier, sans une seule victoire à son actif.

Gelb ne gagna pas le championnat, cette année-là, mais il en constitua la surprise, finissant à un point des lauréats. Où donc avait-il appris à jouer ainsi ? Les journalistes étaient très intrigués. Ils lui demandèrent à quel âge il avait commencé à jouer. À jouer sérieusement ? Oui. À douze ans. Douze ans ? C'est tardif, pour un début. On dit qu'un joueur a besoin de dix années pour atteindre la pleine maîtrise de son potentiel. Il n'avait fallu que quatre ans à Gelb. La première année, il s'était qualifié pour le championnat de Lettonie ; la deuxième, il s'était de nouveau qualifié et avait fini devant son entraîneur ; la troisième, il avait battu son entraîneur et remporté le titre. Au sujet de ses progrès, il n'avait guère d'explications satisfaisantes à fournir. Il défiait les explications. Tout s'était bien passé, voilà tout. Et lorsque encore adolescent, quatre ans plus tôt, le champion de Lettonie avait parcouru pour la première fois les huit cents kilomètres qui séparent Riga de Moscou, il avait sans doute eu l'impression de réaliser un rêve. Personne, avant sa partie avec Lizitsine, n'avait jamais vraiment fait attention à lui. À Moscou, il était un inconnu.

Et il ne l'était pas moins l'année suivante pour son deuxième séjour moscovite, l'étudiant débarqué de sa lointaine province pour retenter sa chance. Il devait encore une fois participer au championnat d'URSS. La plupart des vingt et un autres maîtres et grands maîtres venaient de centres d'échecs prestigieux : Moscou, Leningrad, Stalingrad (sans doute, du reste, avaient-ils mis sa victoire au championnat letton, douze mois auparavant, sur le compte de la chance du débutant). Un journaliste couvrant l'événement, l'un de ceux qui s'étaient montrés si curieux à son égard, avait évoqué dans un article « le jeune maître de Riga, Mikhail Gulbis ». « Gulbis » battit ses quatre premiers adversaires et redevint dès lors, à jamais, « Gelb ».

« C'est qui, ce Gelb ? » La question fusa sur toutes les lèvres lorsque le jeune maître remporta le championnat d'URSS. Si jeune que techniquement, il n'était même pas encore un grand maître : il n'avait pas remporté assez de tournois pour mériter ce grade.

C'était le même homme qui venait de prendre la tête du championnat du monde, par quatre points à deux.

« L'administrateur, s'il vous plaît », recommença la jeune réceptionniste d'un ton froid et incolore. Cette fois il n'y eut pas de clic. Elle répéta mon nom et s'ensuivit une pause qui se conclut par un «oui, oui», puis elle raccrocha. Elle me héla : «Vous pouvez monter.»

Le message de Gelb à en-tête de l'hôtel ne m'avait donc pas trahi. Mais se pouvait-il vraiment que je fusse son seul destinataire? Et puis où voulait-elle exactement me faire monter? Le liftier referma la grille dorée et pressa le bouton sans dire un mot. «Je suppose que vous...», commençai-je, mais il se contenta de renifler. Nous montâmes en silence.

«Troisième porte sur votre gauche.»

Je sortis et la cage grillagée claqua derrière moi mais en toquant, je n'entendis pas repartir l'ascenseur. Madame Koblents, que j'avais croisée en salle de presse, m'ouvrit. «Vous êtes venu», me dit-elle avec un sourire qui creusa les pattes d'oie autour de ses yeux. J'aperçus dans son dos la suite du challenger. «Entrez, entrez.»

Une table basse, des chaises confortables, des parquets cirés, aux murs des tableaux dans le style de Kandinsky – pour la durée du match, cette pièce et son ameublement composaient donc le domicile des Koblents.

Plus âgée que son mari, assez âgée pour être à la retraite, Madame Koblents préférait apparemment accompagner son époux et son protégé lors de leurs voyages prolongés. Ses manières avec moi, l'invité, étaient celles d'une maîtresse de maison : elle me prit mon parapluie, attendant bras ouverts que je lui tendisse mon pardessus à accrocher, puis de retour du porte-manteau, elle ajouta : «chaussures». Je découvris en baissant les yeux qu'elle-même était en pantoufles.

«N'oubliez pas que notre plancher est le plafond de quelqu'un d'autre», justifia-t-elle. En me déchaussant, je m'avisai que la suite qui se trouvait sous la nôtre était peut-être celle de Koroguine, auquel cas ses précautions étaient amplement justifiées : aucun autre client de l'hôtel n'avait davantage le droit au calme. Mais sans doute la suite du champion se trouvait-elle dans un tout autre secteur de l'hôtel et la minutie de Madame Koblents témoignait-elle simplement de sa condition d'épouse, chaperon momentané de deux champions d'échecs.

La chambre de Koblents ouvrait sur celle de Gelb. À travers la porte fermée on entendait le son de petits coups rapides sur un échiquier. L'entraîneur et son protégé. Des parties d'entraînement, expliqua Madame Koblents. Il leur arrivait d'en enchaîner trente ou quarante à l'heure. Des parties détendues, sans décompte des points, mais auxquelles chacun des deux joueurs se dédiait avec tout son sérieux. Les meilleures ressemblaient à celles qu'un grand maître aurait pu effectuer à un rythme normal. C'était pour moi un miracle de voir comment, malgré le rythme effréné de leur jeu, ces deux hommes n'étaient jamais à court d'inventions, ne se laissaient jamais enfermer dans les sempiternels vieux schémas. Au contraire, ces innombrables répétitions permettaient à des innovations tactiques toujours surprenantes de voir le jour.

« Thé ? » Madame Koblents semblait à l'aise dans son rôle d'hôtesse. M'accueillir, assurer le service, veiller au moindre détail, tout cela lui était parfaitement naturel ; elle ne prenait pas la peine de s'expliquer. J'aurais pu lui poser la question qui me taraudait, mais entre l'instant où j'étais sorti de l'ascenseur et celui où elle m'avait tendu un verre de thé bouillant, j'avais abouti à ma propre conclusion. J'avais fini par suspecter qu'il n'avait jamais été question de conférence de presse, mais plutôt d'un échange de bons procédés. Gelb et les Koblents voyaient en moi un ami. C'était à lui, à cet ami qu'avait été envoyé le billet sur papier à en-tête du Moskva. Et si Gelb, en tant que prétendant au titre, avait des choses à dire, des problèmes à régler concernant le match, ce serait à un ami et non à un journaliste, à titre officieux donc, qu'il se livrerait.

Nous nous assîmes pour prendre le thé et Madame Koblents me confia : «Ils ont presque fini pour aujourd'hui», par quoi elle me signifiait que nous serions d'une minute à l'autre admis dans l'intimité de Gelb. Je portai le verre à mes lèvres et en avalai une gorgée. D'une voix altérée, elle chuchota : «Il vient de Londres.» Je déglutis. «Vraiment?» «L'hôtel n'a que du thé anglais. Moi ça m'est égal. On sent la différence mais elle est infime.» Elle s'arrêta pour déguster sa gorgée. «Et que pensez-vous du porte-verre? Du bon vieil argent massif.»

De l'autre côté de la porte close, on martelait l'échiquier avec un enthousiasme immuable.

«Vous devez connaître Mikhail depuis qu'il est enfant, demandai-je.

– Misha? Oui il était haut comme ça», fit-elle en élevant, toujours assise, la main un peu au-dessus de la tête, comme pour se protéger d'une lumière éblouissante.

Contrairement à certaines épouses de grands maîtres, Madame Koblents ne s'intéressait pas particulièrement au jeu. À quoi occupait-elle ses loisirs, poursuivis-je, quand Misha et son époux s'entraînaient? Elle trempa un morceau de sucre dans son thé et me fit une réponse qui correspondait à ce que j'avais imaginé en posant la question : les hommes ont besoin d'une femme à leur côté pour les approvisionner en thé et en cigarettes (le commerçant qui lui fournissait les cigarettes la connaissait de vue, ajouta-t-elle, et refusait d'accepter le moindre argent du challenger). Je me dis que faire du tourisme en solitaire ne devait pas l'amuser ; et une éventuelle promenade en ville avec Gelb et Koblents finirait probablement par s'enliser rapidement au milieu d'une foule compacte d'admirateurs – il suffisait de songer aux scènes qui s'étaient produites au théâtre ou au restaurant après la partie d'ouverture. Elle poursuivit : « Les magazines me font passer le temps, et puis il y a toujours mon tricot. » Ses aiguilles à tricoter ne la quittaient jamais. Celles qu'elle utilisait ayant glissé de sa chaise, elle se pencha pour les ramasser et me les montrer.

« Qu'est-ce que c'est ? » Pour le profane que j'étais, le peloton de laine noire sur les aiguilles n'évoquait aucun vêtement connu.

« La jambe d'une chaussette – je n'ai commencé que ce matin. J'en ai fabriqué plusieurs paires depuis notre arrivée ici. On n'a jamais assez de chaussettes. »

Dans la chambre voisine, le bruit des pièces claquant sur l'échiquier cessa brusquement. Il était temps d'y aller.

Je vidai ma tasse (les gestes les plus anodins permettent de masquer la nervosité), me levai et suivis Madame Koblents qui pénétrait dans la salle.

Gelb leva les yeux de l'échiquier avec un sourire, un large sourire aux lèvres épaisses. Koblents, assis en face de lui, comme une réplique de Koroguine en plus engageant, moins intimidant, m'adressa à son tour un grand sourire. Impossible de ne pas leur rendre ces sourires. Ma nervosité se dissipa aussitôt.

« Approchez une chaise. »

Gelb, qui fumait, écrasa son mégot dans un cendrier rempli à ras bord. « Le maître et moi étions en train d'étudier une jolie combinaison. » En me dirigeant vers la chaise, j'embrassai du regard cette pièce dans laquelle le challenger passait tant d'heures à jouer ou à se reposer.

Les fenêtres avaient la forme de rectangles gris et blancs : blanche, la neige qui tombait, grise la mélancolie de l'après-midi. Peut-être, depuis la fenêtre, pouvait-on jouir d'une vue sur la place Rouge ? Après tout, l'hôtel n'était qu'à deux pas du Kremlin. Je n'étais pas assez près des vitres pour le vérifier, et puis le premier geste de Madame Koblents, en entrant dans la pièce, avait été de fermer les rideaux. J'aimais chez elle ces petits gestes décidés. Elle me rappelait ma grand-mère : le même bon sens, la même façon de se mettre en quatre pour ses hommes. Comme ma grand-mère, elle avait d'ailleurs un dos puissant et de larges épaules.

Dans un coin de la pièce, sous l'une des fenêtres, on voyait une valise brune cabossée, une sorte de grande boîte rectangulaire conçue pour accueillir des objets rectangulaires : livres, papiers, chemises pliées. Une manche de chemise dépassait de la valise entrouverte. Une autre chemise était roulée en boule sur une chaise vacante. « Une seconde », intervint Madame Koblents qui fit, d'un geste, disparaître la chemise. En soulevant la chaise je révélai l'amas de livres anarchique qu'elle masquait : *Guerre et Paix*, des poésies de Pouchkine, un Tchekhov, autant d'ouvrages délabrés par une lecture intensive. Sans doute Gelb connaissait-il par cœur les pages les plus cornées.

« Qu'est-ce que c'est que cette veste stricte ? Ôtez-moi ça. Mettez-vous à l'aise. » On entendait les grondements étouffés des radiateurs, et Koblents tout comme Gelb avaient remonté leurs manches jusqu'aux coudes. Bien entendu ils portaient l'un et l'autre des chaussettes de laine noires, lesquelles faisaient paraître Gelb plus jeune encore, sans que je susse pourquoi. Je suspendis ma veste au dossier de la chaise.

Nous examinâmes sur l'échiquier la *jolie combinaison*. Je reconnus qu'elle ne manquait pas d'élégance, en effet, puis Madame Koblents apporta quatre verres de thé. Elle quitta ensuite la pièce emportant le plateau vide avant de revenir une minute plus tard avec ses aiguilles et la pelote de laine – la chaussette en devenir. Elle prit place sur un petit canapé bleu, derrière Gelb, comme pour garder une oreille sur la conversation. Mes yeux ne cessaient d'aller et venir de l'échiquier à Gelb. Vu de près, il semblait extrêmement pâle. Sa peau aux pores fins était presque bleue à force de blancheur. Il était très maigre ; je ne me rappelais pas l'avoir trouvé aussi émacié quand nous avions lié connaissance au bar du restaurant. Une assiette de porcelaine vide à droite de son coude, repoussée en bord de table pour faire place à un cendrier, contenait des miettes, reliefs d'un sandwich disparu. Mais sans doute cette assiette était-elle là depuis le matin, s'il fallait prêter foi aux rumeurs sur son côté un peu bohème.

« Vous êtes moscovite ? », me demanda Koblents. Plus en chair que Gelb, il avait aussi le teint coloré.

« Leningrad. Mais je n'y suis pas retourné depuis des années.

– Je comprends. Mais j'y pense, pardonnez mon indiscrétion, auriez-vous par hasard étudié avec maître Golov ? »

Ma réponse affirmative lui arracha une exclamation :

« Ah, Golov ! Puisse-t-il reposer en paix. Merveilleux joueur. Il m'a fichu la frousse quand je l'ai affronté pour le titre de Leningrad – quelle empoignade ce fut ! Il m'a concédé le nul, mais j'ai piqué une de ces suées, je peux vous le dire. En 38, ou était-ce en 39 ? Saloperie de guerre. »

Gelb m'offrit une cigarette. « Non merci. » Il alluma la sienne.

Koblents reprit : «En tout cas ses exploits, aucun homme, aucun fusil ne pourra les lui prendre. J'aime à penser qu'un joueur survit à travers ses parties.»

Après un moment de silence, je me tournai vers Gelb : «En bas, dans le hall, je songeais à l'époque où j'ai entendu parler de vous pour la première fois, à votre partie de la Marche du Roi.

– Oui. Comme le dit le Maestro, il y a Roi et Roi.

– Mais vous ne pouviez pas connaître tous les développements potentiels de ce style de jeu – je songe à la décision d'exposer votre Roi. Un Roi qui attaque en fin de partie, quand l'adversaire ne dispose plus que de quelques pièces, ça je peux le comprendre. Mais... mais... lancer le Roi à l'assaut au beau milieu de l'action, je n'imaginais même pas qu'un joueur pût oser tenter un coup pareil. Vous ne pouviez pas anticiper la totalité des attaques que Lizitsine aurait pu déclencher contre un Roi sans défense, un Roi isolé en plein milieu de l'échiquier!

– C'est vrai. Il tapota sa cigarette contre le cendrier. J'ai seulement senti que le meilleur coup, le plus juste, à ce moment précis de la partie, c'était de faire sortir mon Roi.

– Vous voulez dire par une sorte d'intuition supérieure, quelque chose comme ça?»

Gelb prit une rapide inspiration et souffla de la fumée à plusieurs reprises du coin de la bouche. Sa main de fumeur était la gauche, celle à cinq doigts. Il n'avait aucune hésitation à jouer avec la droite quand il ne se trouvait pas sur scène.

«Oui, c'est ça, on réfléchit, on réfléchit et tout d'un coup on a ce sentiment, cette intuition, oui.»

Il fit un geste et le paresseux sillage de fumée décrivit un cercle.

«Ça vient avec la réflexion, mais ce n'est pas la réflexion...

– Ce n'est pas la pensée, Mishenka, l'approuva Koblents.

– Non, et quand ça vient, ça vient. Si ça vient.»

Gelb tira une autre goulée, en fronçant les sourcils.

«Le sentiment, l'intuition. Ensuite, vous devez prendre une…

– Décision. Koblents termina la phrase.

– Oui, une décision. Est-ce que je me base sur mon intuition ou est-ce que j'essaie de l'étayer sur ma raison?

– Tu te bases…, commença Koblents.

– … sur le sentiment, acheva Gelb. Tu cesses de penser et tu joues. Tu touches la pièce…» Gelb ferma les yeux. «Tu touches la pièce que tu vas bouger et tout à coup…» Il ouvrit les yeux. «Tu vois.

– Vous voyez quoi?, demandai-je.

– Des possibilités: j'aurais pu aller là, il aurait joué ça et ainsi de suite. Toutes sortes de prolongements, plus de possibilités dans cette fraction de seconde que tu n'as pu en percevoir en peut-être une demi-heure de réflexion.

– Comme une décharge électrique, fit Koblents.

– Comme une décharge, répéta Gelb. Il m'est arrivé de voir des maîtres grimacer au moment où ils posent les doigts sur la pièce qu'ils ont choisie. Ils savent que c'est le mauvais choix, un déplacement idiot, mais…

– Trop tard!», reprit Koblents.

Gelb tenta de trouver un coin du cendrier où écraser son mégot; il avait fumé sa cigarette jusqu'à l'extrême limite.

«Il faut sentir avant de toucher.»

Koblents acquiesça:

«Tu as bien raison, Mishenka.»

C'était leur philosophie, leur approche du jeu. J'essayais de comprendre. Avait-il eu cette intuition – j'utilisais le terme de Gelb – dans la sixième partie, avant de sacrifier son Cavalier ?

Gelb, ses deux mains libres à présent, ramena les pièces du bord de l'échiquier et les remit en place. Il se rappelait la position de tous les pions et me présenta une réplique de l'échiquier juste avant ce mouvement imprévu du Cavalier. Le souvenir de ce coup rendit des couleurs au visage du challenger. Il se renversa dans sa chaise, laissa ses yeux parcourir le jeu et se mordit la lèvre comme s'il réprimait un sourire.

« Oui, fit-il enfin, j'avais une intuition liée à cette zone de l'échiquier. Je sentais que le Cavalier devait faire quelque chose à cet instant précis. »

Ce déplacement avait pourtant représenté une surprise pour tout le monde. Personne n'avait prévu la soudaine intrusion et l'étrange échange du Cavalier noir contre l'un des pions de Koroguine : ni les maîtres réunis dans la salle de presse, ni les reporters derrière leurs machines à écrire et leurs téléphones, ni le champion lui-même. Personne. Comment expliquer ce loupé ? Un excès de certitudes sur les stratégies d'engagement des Cavaliers et des pions les avait-il inhibés ? Cette façon de se mordre les lèvres, de sourire, en réalité, excitait ma curiosité.

Gelb chercha le Cavalier : il tendit la main, la droite, et ses quatre doigts bizarrement aplatis se refermèrent sur la crinière sculptée. Je me demandai s'il voyait, en ce moment, ce qu'il avait peut-être vu sur la scène du théâtre en cette fraction de seconde décisive. Ou bien si, au moment où il l'avait touchée, la crinière du cheval l'avait *électrisé*. Pendant une seconde ou deux le Cavalier demeura immobile. Je lançai un regard vers Gelb dont l'expression exprimait la profonde concentration – et ramenai tout aussi vite mes yeux vers l'échiquier. Le Cavalier revint subitement à la vie. Doué de conscience, de volonté, il savait exactement où il voulait aller. Irrésistible. Il me sembla alors que je saisissais mieux la nature de l'impulsion soudaine qui avait autrefois entraîné le Roi dans sa marche souveraine.

Une fois sa main revenue de l'échiquier, Gelb répondit doucement:

«Je lui aurais volontiers donné le point en échange d'une bonne partie. C'est difficile de jouer quand l'autre refuse de vous accompagner. Chaque fois que j'ébauche quelque chose, que j'explore une nouvelle direction, il me bloque aussitôt.

– Il le bloque aussitôt, confirma Koblents.

– C'est comme s'il me tournait le dos ou se bouchait les oreilles pour ne rien entendre. Mais quel intérêt? Je ne peux pas jouer contre une ombre, j'ai besoin de sentir un adversaire à part entière sur l'échiquier.»

Le paquet qu'il tâtait pour en extraire une cigarette crissa. Il était vide.

«Attirer son attention, c'est dangereux, je sais. Insensé peut-être, mais avais-je le choix? Il fallait bien que je joue… Après le mouvement du Cavalier nous avons joué. Nous avons enfin joué tous les deux ensemble. Alors pourquoi ce tollé général, ces cris de rage?

– J'ai vu pire, Mishenka, répondit Koblents, apaisant. L'important, c'est que vous ayez joué tous les deux ensemble. L'échiquier ne se plaint jamais. Bon coup, mauvais coup, l'échiquier est toujours indulgent.

– Parfois, après une bonne partie, mon adversaire me manque. Le matin, quand je soulève la cuiller dans ma tasse, quelque chose dans ce geste me rappelle la partie. Ou bien si j'écoute de la musique il y a une note, un tremblement dans la voix de la cantatrice qui me ramène brusquement à l'échiquier et je joue. Je suis heureux et je suis triste. Je ne sais pas pourquoi. Et parfois ça peut durer des jours.

– Nous jouons tous les deux ensemble.»

Koroguine avait-il lui-même éprouvé le sentiment que Gelb décrivait ainsi ? Je me demandai si un maître pouvait détecter l'état d'esprit de son adversaire, ses pensées intimes… Un étranger, dans ce commentaire, aurait pu détecter de la présomption. Ce n'était toutefois pas ainsi que je l'entendais. Au contraire j'y percevais plutôt le profond respect du challenger envers le champion. Mais même dans ce cas, me demandai-je, que ferait ce dernier de tous ces sentiments ? Ingénieur électrique de formation, il consacrait tout son temps à des calculs basés sur des axiomes. Pour lui l'expérience d'une complicité avec son adversaire n'était nullement nécessaire. L'essence d'une partie se définissait intégralement par un mélange de règles, d'algorithmes et d'obsession du but.

«C'est une drôle d'idée, de voir les échecs comme des algorithmes, fit Gelb après m'avoir demandé ce que j'en pensais. Koroguine affirme que d'ici peu, nous jouerons tous contre des bidules, là, des… *ordinateurs*, que ça ne saurait tarder. Je n'arrive pas à l'imaginer. Qui a jamais entendu parler d'une machine capable de jouer ?

– Apparemment, les Américains ont inventé un programme capable de battre des débutants.»

Koblents dit :

«C'est tout à fait le genre de trucs que les Américains adorent inventer.

– Non, ça ne me parle pas. Une machine qui joue aux échecs… Pourquoi pas une machine qui ferait de la musique ? Ou de la peinture ?»

J'étais tenté d'acquiescer. Quelle machine aurait été capable d'inventer la partie de la Marche du Roi ? Mais je n'étais pas ingénieur. Dans une interview accordée avant le match, Koroguine avait prédit qu'un ordinateur décrocherait le titre de champion du monde d'ici à quarante ans. Et qu'une machine à écrire des romans produirait un chef-d'œuvre avant l'an 2000.

« Ça fout la trouille, poursuivit Gelb. Des mouvements usinés. Je me sentirais si seul assis face à tous ces boutons et ces lumières clignotantes. »

Il frissonna. « Eh, que diriez-vous de faire une petite partie ? »

Il me montra l'échiquier.

« Vous et moi ? Faire une partie ?

– Pourquoi pas ? Rien de sérieux, une petite partie sans prétention. »

Je me tournai vers Koblents qui acquiesça pour m'encourager.

« Oh non, répondis-je, de nouveau face à Gelb. Merci, mais ça n'aurait aucun intérêt pour vous. Un amateur comme moi, ça ne joue pas contre un grand maître.

– Vous êtes trop modeste. Si vous connaissez les règles, vous êtes capable de jouer. En plus, maître Golov a sûrement dû vous enseigner un truc ou deux. Voyons, laissez-moi juste bouger un peu l'échiquier et remettre en place les pièces. Prenez les Blancs. Je vous en prie.

– Non, vraiment, ce n'est pas nécessaire. Je… je ne saurais même pas comment débuter. »

Et avant qu'il ait pu insister, la sonnerie du téléphone résonna dans la chambre de Koblents.

« C'est pour moi ? Excusez-moi. » Gelb se leva et se dirigea vers l'autre pièce.

Je me tançai intérieurement de ma timidité. La plupart des amateurs auraient donné n'importe quoi pour disputer une partie avec le challenger du champion du monde. Mais une part de mon esprit était déjà ailleurs, observant les doigts de Madame Koblents actionner aiguilles et tricot. Les aiguilles à tricoter apaisèrent mes réprimandes intimes. Le fil torsadé, la série régulière des nœuds : il y avait quelque chose de reposant et de propice à la rêverie dans l'action répétitive de ces aiguilles qui transformaient peu à peu un petit paquet de laine informe en une chaussette noire parfaitement identifiable.

La pièce, momentanément silencieuse depuis le départ de Gelb, semblait un peu plus sombre. Aucun des deux époux ne rompit le silence. La respiration du grand maître Koblents – qui me rappelait celle de serveurs de restaurant corpulents – était distinctement audible au-dessus du cliquetis mélodieux des aiguilles.

Depuis la pièce où Gelb avait pris son appel nous parvenait maintenant le bruit d'une nouvelle arrivée : quelqu'un retirait manteau et bottes. Les murmures devinrent des mots à mesure que Gelb et l'inconnu s'approchaient de nous : « Nous allions justement faire une partie », expliquait Gelb en pénétrant dans la chambre. Il parlait à une jeune femme de vingt et quelques années qui le dépassait d'une tête, ou plutôt d'une chapka.

« Mon chapeau ! », dit la jeune femme en ôtant la toque de fourrure. La chapka libéra une crinière d'or aux reflets chatoyants.

Madame Koblents reposa ses aiguilles. « Je vais faire du thé. » La jeune femme enchaîna : « Pour le gâteau, la file d'attente était interminable. »

C'était l'anniversaire de Koblents.

« Plus on est de fous, plus on rit », répliqua Gelb lorsque je suggérai qu'il était peut-être temps pour moi de partir.

« Je vous en prie, restez pour le gâteau. Et puis Dina sera ravie de faire votre connaissance. Elle a lu toutes vos nouvelles. »

Dina était donc la petite amie de Gelb. La nouvelle me plongea dans l'étonnement.

« Ce n'est pas vraiment un secret, fit Gelb, tous ceux qui ont besoin de savoir savent. » À Riga les gens savaient. Mais Riga n'est pas Moscou et des lettres parfumées adressées au challenger arrivaient chaque jour au journal. « On va officialiser les choses. » Pas tout de suite, cependant. Le caractère confidentiel de leur relation augmentait le plaisir qu'ils puisaient dans leur amour partagé. Et leur secret était désormais le mien, à charge pour moi de le préserver.

De Dina l'on pourrait dire que sa jeunesse et sa beauté lui rendaient la parole facile. Elle s'assit sur le canapé tandis que son ami se dirigeait, tout en parlant, vers la pièce où il se fournissait en verres de thé chaud. La compagne de Gelb était comédienne de théâtre débutante. « Notre troupe était de passage à Riga, il y a deux ans. C'est comme ça que nous nous sommes rencontrés, Misha et moi. Il est venu à la première de la pièce et après la représentation, un homme, un de ses amis, je crois, l'a emmené en coulisse jusqu'à notre loge et nous l'a présenté. Il était déjà célèbre alors, il venait de remporter une nouvelle fois le titre de champion d'URSS, mais je ne l'ai pas reconnu tout de suite. On s'est serré la main, j'étais la dernière de la troupe à le saluer et il m'a dit en souriant : "Dans la salle tous les regards étaient tournés vers vous." Le charmeur ! C'était le premier soir. » Le deuxième, Gelb était revenu sans son ami, et il avait confié à Dina que ses mains lui faisaient mal d'avoir trop applaudi. « Le troisième, il est revenu avec un énorme bouquet. »

Le coloris bleu du sofa faisait ressortir le bleu de ses yeux. Elle portait un cardigan rouge tricoté par Madame Koblents. « Les Koblents ont été très bons avec nous. » On entendit Koblents, derrière l'échiquier, lancer : « Dina fait partie de la famille ! »

Sur les plateaux cliquetants que Gelb et Madame Koblents rapportèrent à ce moment, verres de thé, fourchettes, couteaux et assiettes de porcelaine côtoyaient un gâteau aux noix bien crémeux. Des pensées gourmandes m'assaillirent tandis que l'on déposait le goûter sur la table, à côté de l'échiquier.

« Mmmm, fit Madame Koblents en approchant son couteau du gâteau. Voyons. Nous sommes cinq. Mishka, dis-moi, comment coupe-t-on un gâteau en cinq parts ?

– Cinq parts égales ? Le grand champion d'échecs hésita. Je l'ai su... Il faut faire comme ça, je crois, avec le couteau ? Il accompagna sa question d'un vague geste de la main... En diagonale, plus ou moins, euh, non. »

Il s'arrêta au milieu de sa phrase.

« Maestro ? »

Mais le grand maître Koblents n'en savait rien. Pas plus que Dina ou moi. Madame Koblents décida finalement de faire quatre parts qu'elle coupa ensuite en deux, soit huit parts.

« Deux parts pour les hommes, une part pour les femmes, décréta-t-elle.

– Je donne mes deux parts à Dina, rétorqua Gelb, et je prends la sienne. C'est un marché plus qu'équitable, n'est-ce pas Dina ? »

Dina, qui cherchait quelque chose dans son sac, ne l'avait pas entendu. Elle sortit un livre qu'elle me tendit. C'était mon recueil de nouvelles. « Pourriez-vous le dédicacer ?, dit-elle en me tendant un stylo. Pour le Maestro. Misha et moi avons pensé que cela ferait un joli présent. »

J'écrivis : *Pour le Maestro. Avec toute mon admiration.*

« C'est très aimable à vous, fit Koblents en lisant la dédicace.

– Vraiment, c'est moi qui devrais vous remercier, vous remercier tous », répondis-je.

Madame Koblents distribua les verres de thé et les huitièmes de gâteau aux effluves parfumés.

« Je lis quand je suis sur la route avec la troupe, reprit Dina. Nous voyageons beaucoup. »

Leur relation amoureuse était donc géographiquement distante. Probablement la troupe de Dina était-elle basée à Moscou.

Nous prîmes nos assiettes, les deux femmes s'assirent côte à côte sur le canapé et pendant quelques instants la mastication interrompit la conversation.

« Alors, et cette partie ?, me lança Gelb, brisant le silence. Rien de sérieux. Une minuscule récréation… »

Il reposa son assiette sur la table et me regarda d'un air encourageant.

« Misha !, s'exclama Dina de la même manière que celui qui gronde un enfant. Et s'adressant à moi, sur un ton de complicité : C'est sans espoir avec lui. Mais le public ne vaut pas mieux : les gens l'arrêtent dans la rue pour lui demander de jouer. Je l'ai vu de mes yeux l'été dernier pendant le championnat de la ville : un jeune homme est venu vers nous dans un café et il a supplié Misha de faire une partie avec lui. Il a sorti un jeu de poche. Misha a accepté. L'homme était fou de joie. Et à Riga c'est pire encore : en sortant de chez lui, il doit faire une dizaine de parties sur des jeux portatifs avant d'arriver au cinéma. Puis, après la séance on a droit à "S'il vous plaît, Misha", "Une partie pour la route, Misha". De tous les âges. Même des gamins. Il ne refuse jamais.

– Si, tant que le film n'est pas fini. »

Les yeux de Gelb étaient plissés d'amusement.

« Dans ce cas je chuchote : "À la fin, à la fin !"

– Qu'est-ce que je disais : c'est sans espoir », conclut Dina en souriant.

N'osant pas jouer, et ne voulant pas me conduire avec le prétendant au titre de champion du monde comme l'un de ces types qui le harcèlent, je lançai :

« Est-il vrai qu'échecs et dames ne font pas bon ménage ? » C'était ma façon de changer de sujet.

« Bon ménage ?, répéta Koblents, la bouche pleine.

– J'ai remarqué que les maîtres d'échecs ne juraient que par les échecs et les maîtres de dames par les dames. Les jeux sont-ils si différents ?

– Ils sont différents. Mais vous oubliez Nezhmetdinov, un très habile maître d'échecs. Il a aussi remporté des tournois de dames.

– Vous feriez le poids dans une partie de dames contre Nezhmetdinov ? »

Gelb hocha la tête. « Non, aux dames, non. Je suppose que je pourrais lui donner un peu de fil à retordre si j'étais opposé à lui dans une partie sérieuse, mais non, je ne joue aux dames que pour le plaisir. »

Il lui arrivait aussi de jouer aux cartes le soir, précisa-t-il.

« Mishenka est un as pour battre les cartes », intervint Koblents.

Leur jeu de cartes favori était le Preferans. Parfois ils jouaient tous ensemble : Gelb, Dina et les Koblents, Madame Koblents se chargeant de l'arbitrage.

À la fin de notre conversation, Koblents, au bord des larmes, se leva et porta un toast. Il était très éloquent. Il nous dit qu'il n'avait pas eu d'anniversaire aussi réussi depuis des années. Il eut des mots gentils pour les chaussettes de laine, le gâteau, le livre.

« Mais il y a un présent qui aurait plus de prix pour moi que tout autre. »

Chapitre 8

L e match reprit le lendemain. Il régnait ce jour-là un froid mordant et on pouvait redouter la neige, mais il ne neigea pas. Une fois encore, à quatre heures de l'après-midi, heure de Moscou, tout s'arrêta dans les grandes villes comme dans les bourgs et les villages de l'URSS.

Sur l'île de Sakhaline, à huit fuseaux horaires de Moscou, le match débuta à minuit. Même là-bas les insulaires les plus rudes, pêcheurs ou ouvriers du pétrole, bravèrent l'insomnie en allumant la radio.

Dans la capitale, les rues gelées étaient désertes.

À dix-huit heures trente, corrigeant des copies à notre table de cuisine, ma femme écoutait d'une oreille distraite les commentaires de la radio, tandis qu'au théâtre je franchissais tout juste les portes de la salle de presse.

Sur la scène, le champion et le challenger en étaient à peu près au milieu de leur septième partie.

Figés sur leurs fauteuils, tétanisés par la menace des juges de transporter le match en coulisse, les spectateurs se demandaient si la partie de ce soir allait fleurer bon la revanche. Leurs échiquiers miniatures tentaient chacun d'anticiper le coup assassin.

Dina n'était pas là.

«Je ne pourrais pas supporter de rester assise et de regarder, m'avait-elle confié lors de notre goûter au Moskva. Bien sûr, il m'est difficile de ne pas penser à lui quand il joue. Où que je sois, quoi que je fasse, que Misha soit en train de gagner ou de perdre, le jeu n'est jamais absent de mon esprit.»

Elle se trouvait chez ses parents, où elle se portait volontaire pour toute activité lui permettant de ne pas penser au match. À cette heure elle devait aider sa mère à préparer les *katleti*.

Contrairement à ce qui se passait dans la grande salle, où des juges au regard glacial imposaient un silence absolu, en salle de presse grands maîtres et commentateurs faisaient beaucoup de bruit, à la limite du tapage. Dans l'excitation du jeu, il n'était pas rare de voir applaudir ou sauter de joie un maître enthousiasmé par un joli coup. Ou un journaliste, gagné par la confusion générale, clintonner une question enflammée avant de reprendre ses esprits. Quand on connaît un peu l'étrange atmosphère qui peut entourer un match, de tels comportements n'ont rien de surprenant. Mais la nouveauté, ce soir-là, c'était l'atmosphère de gravité qui régnait dans la salle de presse.

Zivonovic, le grand maître yougoslave, prétendit avoir trouvé un moyen de réfuter le sacrifice consenti par Gelb dans la sixième partie. Le mouvement de son Cavalier, qui avait déclenché le chahut du samedi précédent, était insensé. Après avoir capturé le Cavalier, Koroguine avait réagi en regroupant ses forces. Selon l'analyse de Zivonovic, il aurait été mieux inspiré d'avancer d'une simple case le pion de la Tour-Dame, afin d'attaquer la Dame adverse. Ce minime déplacement d'un pion excentré aurait suffi à lui donner la victoire, et le score s'établirait aujourd'hui à 3-3.

Il était curieux de constater à quel point une partie appartenant déjà au passé était néanmoins capable de déclencher autant de passions. Mais certains grands maîtres avaient pour habitude de continuer à analyser les parties dans l'espoir de dégager une « vérité absolue », alors même que les hostilités ont cessé depuis longtemps. Ces grands maîtres considéraient – ainsi que Koroguine – qu'une étude suffisamment approfondie de n'importe quelle position sur l'échiquier pouvait générer une « solution », comme si la partie ne se réduisait après tout qu'à une gigantesque équation. Et comme dans le cas d'une équation ainsi résolue, le résultat en devenait définitif : aucune discussion n'était plus recevable. Si Zivonovic avait raison (la publication de son analyse dans la *Pravda* constituait à cet égard une validation implicite), son argumentaire ébranlait sérieusement la réputation du challenger.

Mais avait-il raison ? Je ne le pensais pas. D'abord ses calculs étaient nécessairement orientés, partiels et partisans. Le nombre des mouvements à considérer est simplement trop élevé, surabondant. Un tel chiffre exclut toute certitude. Il est rare, dans une partie d'échecs, qu'un joueur soit confronté à moins d'une vingtaine de développements possibles, et c'est une estimation basse. Le plus fréquent, c'est de devoir choisir entre trente, quarante, cinquante voire même soixante options concurrentes. Supposons que notre joueur décide de positionner son Fou au centre de l'échiquier : il doit dès lors décider sur laquelle des cases possibles (au moins treize dans quatre directions) il va pouvoir se rendre. Voilà pour le Fou. Dans le cas d'une Dame qui se trouverait au centre de l'échiquier, les possibilités grimpent à vingt-sept. Treize déplacements possibles pour un Fou, vingt-sept pour une Dame, en l'espace d'un seul coup, sans parler des pions, des Cavaliers, des Tours, de l'autre Fou et bien sûr du Roi. L'échiquier foisonne donc de possibilités.

Voyons à présent ce que découvre notre joueur au tour suivant, après que son adversaire, par sa réplique, a modifié le visage du jeu. Peut-être la Tour adverse, préalablement sur l'aile Roi, se trouve-t-elle maintenant sur le flanc Dame, ou la Dame côté Fou, ou le Fou côté Cavalier. Peut-être la Tour et le Roi ont-ils inversé leurs positions : il suffit d'un mouvement, le roque. L'adversaire est tout aussi gâté, en matière de choix. Une décision, sur cinquante ou soixante possibles, appelle autant de réactions plausibles dans le camp opposé. Entre un coup et sa riposte, l'échiquier adopte une configuration parmi deux, trois ou quatre mille possibles.

Et c'est ici que les chiffres s'emballent car au moment de la deuxième réponse de l'adversaire, ce n'est plus entre quelques milliers, mais parmi cinq ou dix millions de paysages possibles que l'échiquier aura opté. Cinq millions, soit la population totale de Moscou, hommes, femmes et enfants compris. Prévoir exactement et deux coups à l'avance la configuration de l'échiquier revient à parier qu'un touriste abandonné dans les quartiers les plus éloignés du centre-ville de Moscou puisse sans hésitation et du premier coup retrouver le chemin de son hôtel. La comparaison n'est qu'à moitié pertinente, bien sûr, dans la mesure où notre joueur d'échecs a le pouvoir d'estimer d'un coup d'œil quantité d'impasses et de détours possibles. Il possède aussi une sorte de carte mentale chargée de le guider, et constituée soit de nombres (que l'on qualifiera de latitudes et de longitudes), soit d'images. Mais même ainsi, puisque d'un quartier à l'autre nombreuses sont les rues et les maisons à se ressembler, notre joueur est susceptible de perdre rapidement ses repères familiers. En seulement deux coups, le plus expérimenté des joueurs peut donc s'égarer complètement.

S'il suffit de deux coups de la part de chaque joueur pour produire des millions de configurations différentes, une par citoyen moscovite, combien en recensera-t-on au bout de trois coups ? Autant qu'il y a d'humains sur Terre. Enfoncées, à ce stade, les statistiques du loto, et dépassé, le registre terrestre : compter toutes les variantes alors possibles revient à vouloir dénombrer les étoiles.

L'analyse de Zivonovic intégrait de très nombreux mouvements. Il s'était ingénié à contourner le problème des «étoiles» en se concentrant exclusivement sur les déplacements les plus probables des grands maîtres. Ce qui constituait une autre raison de mettre en doute son argumentation. Comment pouvait-il intégrer dans ses calculs le caractère foncièrement imprévisible du challenger ? Rien n'obligeait Gelb à jouer comme tel ou tel l'avait prédit. Au contraire : le challenger avait toutes les raisons du monde, justement, de déjouer les attentes. Et puis il avait l'habitude de prendre ses adversaires par surprise. Et n'est-ce pas l'essence même du coup de maître, la surprise ?

La «vérité» ou le «sens» d'une partie, à mes yeux, revenait à parts égales aux deux protagonistes. D'autres maîtres, minoritaires dans cette salle de presse, refusaient eux aussi de souscrire à l'analyse de Zivonovic.

Maître Andreev : «Si vous me posez la question, je dirais qu'il est déraisonnable d'argumenter sur un seul coup. Après le sacrifice du Cavalier, il restait deux heures à jouer. À quoi cela rime-t-il, je vous le demande, de discuter une unique variante et ses prolongements, si cela revient à ignorer la suite de la partie ? Les joueurs disputent une partie, pas un simple coup – il faut en considérer la totalité pour comprendre chaque étape.»

Le grand maître Hajek : « Je suis d'accord avec Andreev. Tous ces commentaires sont aussi rébarbatifs qu'inutiles. En outre, vous ne pensez pas que les variantes les plus probables sont précisément celles que le challenger a commencé par examiner avant de les écarter pour leur préférer ce sacrifice ? Regardez comme ses pièces deviennent actives ! Regardez par contraste comme la position du champion se fige ! Comme le Roi est mal protégé ! Amples compensations en échange du Cavalier sacrifié. À tout point de vue, je dirais que c'est un coup très convaincant. »

Maître Konstantinov : « C'est jouable, je suis tout à fait d'accord. Tous les autres prolongements possibles étaient mauvais. Le sacrifice du Cavalier suscite un point d'interrogation mais si ce sacrifice était répréhensible, alors il faudrait mettre un point d'interrogation non pas après le vingt et unième, mais après le dix-septième coup du challenger. »

À ses contradicteurs, Zivonovic opposa une réponse cinglante. Se détournant de l'échiquier dont il se servait pour illustrer ses théories, il arracha les pages de la *Pravda* qu'un journaliste s'était mis en devoir d'examiner et les brandit sous les yeux écarquillés de stupeur des autres maîtres. Les pages imprimées tremblaient et bruissaient de fureur. « Les avez-vous lues ? Les avez-vous lues ? Avez-vous étudié chaque variante ? Refait chaque calcul ? »

Les zébrures mobiles redevinrent des pages que Zivonovic fourra dans les mains du reporter. « Regardez-les par vous-mêmes, chacun d'entre vous, messieurs les maîtres et membres de la presse. Étudiez-les et vous verrez que mon analyse est irréfutable. »

Des murmures approbateurs montèrent des quatre coins de la pièce. À l'évidence, ses analyses avaient déjà fait le tour de l'assistance. « J'ai moi-même relu ces pages deux fois. Il n'y a pas un chiffre qui ne soit à sa place. Alors pourquoi lui cherchez-vous des excuses? Pourquoi ne pouvez-vous admettre que le challenger se soit mis le doigt dans l'œil? Il s'est trompé, c'est clair. Il bluffait. Il aurait dû perdre.»

On croise dans toutes les rencontres sportives ces donneurs de leçons et autres inspecteurs des travaux finis, qui pour répondre ne s'embarrassent ni de «peut-être» ni de «et si» mais s'entêtent jusqu'à ce que leur interlocuteur abdique. Zivonovic avait adopté un ton particulièrement dur.

«Ceux qui ne sont pas d'accord ne savent pas de quoi ils parlent.»

Le grand maître Romanovsky, qui écoutait attentivement et attendait manifestement l'instant favorable pour intervenir, prit alors la parole: «Allons messieurs, restons courtois.» Son âge avancé, sa haute taille et sa corpulence imposaient le respect.

«Personne n'insinue que la partie ne comporte aucune faute. Des deux côtés. Mais une partie est une partie: elle ne peut se poursuivre des jours durant, comme votre analyse. Théorisez tant que vous le voulez, portez tous les jugements possibles, mais rappelez-vous que sans ces hommes et ces comptes rendus vous n'auriez pas la moindre partie à commenter!»

Zivonovic eut un sourire mauvais. «Les gens ont le droit de connaître la vérité. Et la vérité, c'est que le sacrifice du challenger était une erreur. Un loupé très révélateur. Il révèle une attention insuffisante à la géométrie de l'échiquier et une ignorance délibérée des principes de base de notre jeu.»

«De cela je n'ai pas la moindre idée, répliqua Romanovsky. La théorie n'a jamais été mon fort. Mais j'ai vu un certain nombre d'échiquiers dans ma vie, alors laissez-moi vous dire ceci. Vos pages, toutes vos pages, et pas seulement les extraits que vous nous montrez ici, feront j'en suis sûr une excellente monographie: *Sur la sixième partie du championnat du monde*, ou quelque chose comme ça. Une addition substantielle à toute bibliothèque d'échecs, assez volumineuse, assez longue pour qu'on puisse empaqueter un homme tout entier.

Acceptez simplement que d'autres monographies signées par d'autres auteurs puissent prendre place dans la bibliothèque à côté de la vôtre.

– Camarade, camarade, la vérité n'est pas multiple! Soyez objectif.

– Objectif? À vos yeux Misha est capable de toutes les erreurs, ou peu s'en faut.»

Les grands maîtres continuèrent de débattre sans relâche, de plus en plus techniques dans leur mauvaise humeur. Ce n'était pas une conversation pour un amateur comme moi. La remarque de Romanovsky sur les monographies me donna à penser, pourtant. Les mouvements de toutes les parties d'échecs importantes étaient consignés pour publication selon le curieux système de notation des maîtres et en intégralité, accompagnés de paragraphes de commentaires après chaque coup significatif ou controversé. Parfois le joueur lui-même rédigeait le commentaire de la partie, mais la plupart du temps ce travail échouait à un tiers dépourvu de tout accès aux pensées intérieures dudit joueur. La recension d'une simple partie pouvait donc, augmentée des notes attenantes, couvrir de nombreuses pages. Je me demandai si l'on pouvait reproduire certaines parties plus facilement. Ce qui n'aurait rien à voir avec leur «correction» supposée. Les parties les plus reproductibles possèdent sans doute une certaine qualité, comme si elles étaient guidées par une logique aussi stricte qu'inébranlable. Avec leurs rebondissements surprenants, les parties de Gelb semblaient appartenir à la catégorie des «moins reproductibles». Elles évoquaient ces poèmes-performances, si séduisants quand ils sont déclamés par leurs auteurs devant des milliers de personnes mais qui, une fois ces mêmes mots imprimés avec de la bonne encre d'imprimerie, s'y noient et paraissent purement répétitifs, bizarres. Le style de jeu de Gelb, celui d'un «performer», était lui aussi mieux adapté aux auditoires vibrants.

L'annonceur des mouvements se fraya un chemin à travers le groupe compact des maîtres pour rejoindre le seul échiquier de bois installé dans la salle de presse. On devinait à sa contenance qu'il s'était passé quelque chose. «Un coup! Il y a eu un coup!», chuchotèrent les reporters alors qu'en vérité, le même annonceur allait et venait depuis une demi-heure, après chaque mouvement, sans se faire remarquer. Mais celui-ci, les journalistes l'avaient compris, n'était pas un coup ordinaire. Il s'agissait d'un coup spécial, un choc qui allait leur permettre de noircir de pleines colonnes. L'annonceur donnait l'impression de marcher sur la pointe des pieds, ce qui avait vendu la mèche. «Un coup, vite, un coup!» Les journalistes laissèrent les maîtres à leur dispute pour se regrouper autour de l'échiquier que l'homme, conscient d'être l'objet de grandes attentes, approcha cérémonieusement. Les positions s'illustraient par leur densité, avec dans les deux camps une extrême dispersion des pièces, si bien qu'on ne savait où porter le regard. Debout côté Blancs – c'était le challenger l'auteur du dernier coup – l'annonceur s'essuya les sourcils avec sa manche et mima le geste de Gelb, amenant le Cavalier blanc au milieu de la dernière colonne latérale. Manœuvre surprenante, s'il en était. Difficile de s'extirper d'une telle position.

Peut-être fallait-il comprendre ce mouvement comme une proposition de nul, ni plus ni moins, mais déguisée en déplacement: à la pendule, le challenger disposait d'une confortable avance, une heure lui avait suffi pour ses vingt-quatre premiers coups, contre deux à Koroguine. Peut-être Gelb se contentait-il de ses deux points d'avance. En tout cas les journalistes ne montrèrent que mépris pour ce Cavalier blanc en lisière d'échiquier.

« Tu parles d'un coup !

– Beaucoup de bruit pour rien.

– Koroguine est en meilleure posture mais il manque de temps. Ils vont se partager le point. »

Le champion avait en effet un « problème de temps » et la partie semblait devoir s'acheminer vers un nul. L'analyse de Zivonovic, publiée dans la matinée, avait-elle pu le déstabiliser ? Koroguine ne pouvait qu'être en phase avec le postulat du commentateur, à savoir qu'il « aurait dû » gagner la sixième partie et que le score du match devrait donc être de 3-3. Il s'était sans doute efforcé de n'y pas penser, de ne pas rejouer mentalement les coups qu'il aurait fallu exécuter. Mais à présent, la conscience de cette occasion manquée devait forcément s'imposer, irrépressible, derrière chacune de ses pensées. C'était comme s'il avait à affronter deux grands maîtres en simultané : le Gelb de l'instant présent et le Gelb contre lequel il avait joué soixante-douze heures plus tôt. Deux contre un.

Autre mystère, pourquoi l'annonceur marchait-il sur des œufs ? Souhaitait-il simplement signaler, par son comportement, l'étrangeté du jeu des Blancs ? Quand il revint une minute plus tard, avec la réplique du champion, c'était un autre homme qui se dirigea vers le camp des Noirs. Koroguine, par annonceur interposé, déplaça son Fou sur une case voisine. Un coup fort peu spectaculaire. Aussitôt le déplacement effectué, l'annonceur tourna le dos et s'éclipsa. Pour réapparaître aussi vite, le front moite – ce challenger, décidément, ne lui donnait pas une minute de repos. Une prise ! Exit l'un des Cavaliers noirs. Et aux trois mouvements suivants, les pièces tombèrent en cascade, comme des dominos. Une hécatombe : Tour blanche, second Cavalier noir, seconde Tour blanche. Le pauvre annonceur ne savait plus où donner de la tête.

Mais il n'avait pas plus le tournis que les journalistes et les maîtres qui commentaient le match : dans la salle de presse la stupéfaction était générale. Le champion était tombé dans un piège. Comment Koroguine n'avait-il pas vu que la case à présent occupée par son Roi était vulnérable ? Multipliant les brèves apparitions, sprintant entre la salle de presse et le grand auditorium, l'annonceur reproduisit en toute hâte l'attaque éclair du challenger : depuis la colonne excentrée où il se tenait à l'affût, le Cavalier blanc venait de prendre en fourchette le Roi et l'une des Tours du champion.

Impossible évidemment de défendre en même temps Roi et Tour. Le champion se retrouvait brutalement distancé et avec la perte de sa Tour, l'avantage qu'il avait patiemment constitué s'envolait en fumée. Sous les spots de la salle de presse, sur sa case inattendue, à égale distance du Roi et de la Tour noirs, le Cavalier blanc luisait comme du miel.

Debout à côté de moi, l'un des journalistes réussit à soutirer la déclaration suivante au grand maître Romanovsky: «Ça va encore durer un moment. Les parties comme celle-ci traînent généralement en longueur. La victime s'obstine, comme pour signifier que le piège ne s'est refermé que parce qu'elle le voulait bien, et qu'elle avance ses pièces là où elle l'a décidé, tandis que son piégeur se demande, lui, comment poursuivre, maintenant que son éclair de génie est derrière lui.»

Alors ce piège n'avait rien de fatal? Non, répliqua Romanovsky, tout pouvait encore arriver. Et, stimulé par les questions du reporter, il ajouta: «C'est mon cinquième championnat du monde, mais ce match présente un caractère très particulier. On ne reconnaît pas le jeu. J'ai l'impression de comprendre ce qu'ils font, les motifs de tel ou tel coup, de telle tactique, mais...»

La large et rubiconde figure de Romanovsky, que sa barbe grandissait encore et que l'émotion empourprait un peu plus, semblait empreinte d'incertitude.

«Mais à ce moment précis, je les perds, je ne peux plus suivre. Je ne m'y reconnais plus.»

Quelque part derrière nous, un bruyant raclement de gorge sonna l'entrée en lice d'un tiers audiblement impatient de compléter par le sien le jugement du grand maître.

«Bisque impotente.»

Je dus réorganiser les sons qui avaient claqué à mon oreille pour obtenir une formule sensée dans le contexte, ce qui donna finalement : « Risque important. » Le nouveau venu estimait donc qu'avec cette série de prises et la ligne de jeu qu'il avait adoptée pour arracher une deuxième victoire consécutive, le challenger prenait un grand risque. À en juger par son élocution, le perturbateur qui débitait d'une voix pâteuse ses assertions devait être soûl. Pourtant le jeune visage chaussé de lunettes semblait aussi convenable que parfaitement sobre. Un visage et une voix qui m'étaient par ailleurs vaguement familiers. Il me fallut plusieurs secondes pour les resituer : ils appartenaient au journaliste américain que j'avais vu et entendu lors de la cérémonie d'ouverture. Pour quel quotidien travaillait-il, déjà ?

Le *New York Times*, nous rappela-t-il, et mon oreille russe entendit « Newark Times ». Je ne compris pas non plus son nom. C'était la première fois qu'un correspondant américain couvrait un championnat à Moscou.

Au début, il voyait le champion gagner, nous dit-il, son accent à couper au couteau contraignant l'assemblée à tendre l'oreille. En cela, il n'avait d'ailleurs fait que suivre l'avis du meilleur joueur de son pays : le prodige adolescent Bobby Fischer, qui ayant joué et perdu à quatre reprises contre Gelb au tournoi de qualification, en Yougoslavie, s'était empressé de déclarer en mauvais perdant que le challenger allait se faire laminer par Koroguine. Notre correspondant, d'abord convaincu de la victoire de Koroguine, puisque Fischer l'était, commença à tourner casaque au vu de la sixième partie et du retard de deux points qu'elle entraîna. Il était maintenant d'avis que le challenger – sauf « bisques » mal calculées – allait l'emporter. Et, copiant Romanovsky, il énonça dans un silence plein de solennité : « Mais il peut arriver n'importe quoi. »

Embarrassés par sa surexcitation et son russe approximatif, nous ne savions que répondre. Pour dire quelque chose,

Romanovsky lança enfin : «Et où avez-vous appris notre belle langue ?
– Avec livres et cassettes. Vous connaître Linguaphone ? *"C'est comme vivre dans un autre pays."* Vous connaître *"Décuplez la puissance de votre mémoire ?* Apprenez cent cinquante mots par jour"* ? Non ?»

Le silence de mes collègues me poussa à enchaîner : «Quel est le premier mot que vous ayez appris à écrire en cyrillique ?»

«Moscou», fit-il. C'était une réponse acceptable, je suppose. Le premier mot qu'on apprenait à écrire dans les écoles soviétiques était *pastèque*.

«Mais mon écriture ne pas très bon. Je écris pas beaucoup en russe. Mon parler bien meilleur que mon écrire.»

Cette fois aucun de nous ne rompit le silence.

«Je vois», dit enfin le correspondant qui avait compris ce silence. «Vous être occupés. Je retourner dans salle et regarde.»

Il hocha la tête une ou deux fois et quitta la pièce.

«D'abord ils nous envoient leur vice-président…, fit le journaliste qui était debout derrière moi.

– Nixon.

– C'est ça, Nixon. D'abord ils nous envoient Nixon, une sorte de VRP en cuisines, et maintenant il faut se taper leur correspondant qui parle comme une cassette Linguaphone. Non mais franchement… Aucune culture.»

Aucune culture ! Cette expression redéclencha aussitôt le tapage de tout à l'heure, les participants débattant avec ardeur pour tenter d'expliquer comment les Américains pouvaient être d'aussi piètres joueurs d'échecs.

Le grand maître Hajek déclara : «Leurs grands maîtres ne nous arrivent pas à la cheville. Leurs gosses n'ont pas de modèles à imiter.

– Ils ont Denker, s'esclaffa le journaliste des *Izvestia*.

– Sérieusement, qui ils ont?, poursuivit Hajek. Reshevsky? Un produit d'importation qui gagne sa vie en allégeant les impôts des riches… Mister Fine? Celui-là a abandonné l'échiquier et s'est converti au charabia psychanalytique.

– Ils ont Fischer, intervint Romanovsky.

– Un gosse, rétorqua Hajek.

– Mais quel gosse!», fit Romanovsky.

Tout comme son vice-président, Fischer avait fait le voyage à Moscou l'année précédente et il avait demandé à disputer une «partie amicale» contre le champion du monde, raconta un maître qui était présent ce jour-là au Club central de la capitale. Mais les autorités avaient fait la sourde oreille. Koroguine ne faisait jamais rien «à titre amical». Une discussion serrée avec l'interprète n'y avait pu rien changer, il n'y aurait pas de rencontre Koroguine-Fischer. L'adolescent, faute d'adversaire plus coriace à se mettre sous la dent, dut se résoudre à jouer avec les membres du club, dont quelques maîtres. Sa science silencieuse du jeu impressionna ses compétiteurs. Fischer avait appris assez de cyrillique pour déchiffrer les coups dans les nombreux magazines d'échecs russes auxquels il était abonné, ajouta le maître. Les joueurs américains ne disposaient pas d'une presse spécialisée aussi riche.

Chacun ici éprouvait une profonde sympathie pour le calvaire que vivaient les maîtres américains. La plupart des «types de là-bas» n'avaient pas la chance de Reshevsky, ni l'ingéniosité de Fine. Pas de pourboire de riche client ni d'accessoires en cuir à exhiber dans leur salon dernier cri: ils étaient chauffeurs de taxis de jour comme de nuit, ou réduits à empiler les boîtes de conserves dans les supermarchés ou contraints d'astiquer des sols constellés de chewing-gums, comme tout gardien d'immeuble était censé le faire. Enfin, le soir venu, il leur fallait se résoudre à emprunter des rues mal famées pour rejoindre des clubs miteux où ils jouaient sur des échiquiers en plastique. Le week-end, ils s'installaient dans des jardins publics et jouaient avec des inconnus contre quelques pièces. Certains trouvaient refuge dans des asiles de nuit; d'autres devaient se contenter de bancs publics.

« Pas très reluisant, comme existence, soupira l'un des maîtres.

– C'est simple, intervint un reporter, c'est vraiment simple: les Américains vont là où vont leurs dollars. Ils fréquentent des stades et des casinos, car c'est là que leurs dollars les ramènent toujours. Les dollars paient l'équipement des sportifs, remplissent les salles, donnent un petit coup de pouce à la roulette. Comment intéresser un jeune au jeu alors qu'il peut gagner plus d'argent en jouant au base-ball ou au basket, s'enrichir au poker ou avec une paire de dés? Les échecs ne paient pas. »

Certes il y avait des tournois, aux États-Unis, un genre de tournois, d'après ce que nous savions, mais ils étaient très rares. Sponsorisés par un inventeur de laxatifs ou par l'épouse oisive d'un musicien, ils se limitaient à un week-end et se tenaient dans l'une ou l'autre des grandes villes du pays. Les meilleurs maîtres, les plus brillants, étaient invités à ces tournois, qui ressemblaient à des pince-fesses du Rotary Club. Le vainqueur final se fendait d'un discours dithyrambique: « Je suis particulièrement reconnaissant à Monsieur (ou Madame) X. de sa générosité… » Après quoi le ou la philanthrope remerciait chaleureusement les joueurs, signait les chèques et les abandonnait à leur existence de crève-la-faim pour une longue année de plus.

Toutes ces considérations sur les tournois, les chèques, la misère, nous les tenions des maîtres américains eux-mêmes, une source incontestable. Les Soviétiques connaissaient leur moindre nom. Le style des maîtres, leurs meilleures parties les avaient précédés en URSS, pays où ils étaient invités à jouer devant des salles combles, des foules de milliers de spectateurs.

« En Amérique, les échecs ne paient pas », reprit le reporter, mais avec une nuance dans sa voix. « Non, ça ne compte pas, à moins de pouvoir transformer les parties en machines à dollars, dans le genre foire aux monstres. » Et il évoqua les bandeaux oculaires. « Vous avez un pauvre maître américain qui va accepter de se laisser attacher un bandeau serré sur les yeux. De préférence noir et en soie. Avec un nœud gros comme ça. Question de style. Ensuite il tourne le dos au public, lequel ne voit plus que le gros nœud, et il énonce ses coups à chacun de ses adversaires payants, l'un après l'autre. Ceux-ci, au nombre de vingt ou plus, annoncent leur réplique, chacun son tour. De cette façon le maître peut disputer simultanément une vingtaine de parties sans interruption, avec sa seule expérience et son imagination pour lui servir d'yeux. Pendant plusieurs heures d'affilée, sa mémoire va enregistrer l'évolution de toutes les parties avec les positions de chacune des pièces. Il ne doit pas confondre, par exemple, un Cavalier sur l'échiquier n° 7 avec un Fou sur le 17, ou prendre une Dame pour un modeste pion et se la faire souffler. »

Les maîtres affichaient des expressions peinées. Le jeu à l'aveugle avait longtemps été interdit en URSS, la faculté ayant décrété que c'était mauvais pour le cerveau.

« En outre, comme si tout cela n'était pas encore assez, on leur donne parfois, au fil des parties, des numéros de téléphone ou des dates de naissance à mémoriser. À la fin de cette performance, le maître doit réciter la liste dans l'ordre correct: "Cinq-un-six-trois-huit", "le dix-sept février mille neuf cent vingt-quatre", etc.»

Le grand maître Romanovsky intervint: «Que d'intelligence gâchée.»

C'était bien ce qu'il semblait, en effet. Mais ces «pitoyables numéros de music-hall» constituaient le pain quotidien des maîtres américains, c'était ainsi qu'ils parvenaient à joindre les deux bouts.

Zivonovic se montra moins compatissant. «Des rustres. Ils ignorent tout des us et coutumes de notre jeu. Des pièces dispersées aux quatre coins de l'échiquier, aucun respect pour la géométrie profonde du jeu. C'est le genre d'échecs de bistro dont nous ne voulons à aucun prix.

– Vous avez raison, fit Hajek. Pas question de laisser notre jeu se donner ainsi en spectacle.»

Zivonovic était sur le point de reprendre la parole quand l'annonceur, qui n'avait cessé d'aller et venir et d'actualiser l'échiquier réservé aux commentateurs, s'arrêta net et se pencha sur les pièces. Hajek et les autres maîtres s'approchèrent. Les journalistes aussi. Cela faisait un petit moment que nous ne suivions plus la partie et dans l'intervalle, la situation avait beaucoup évolué. Deux pions de chaque couleur, plus une Tour noire pour une paire de Cavaliers blancs, voilà tout ce qui restait des deux armées ennemies. Entre elles, l'espace vide apparaissait nettement divisé: le flanc Roi tout blanc des pièces du challenger, l'aile Dame toute noire de celles du champion. Comme si, las des embrouillaminis, les deux camps avaient décidé de s'éviter. Ou comme si chaque pièce préférait à présent la compagnie de ses congénères. Mais ce n'était bien sûr pas si simple. Les idées qui avaient dicté cette séparation visaient un objectif plus vaste. Des voies d'accès avaient été dégagées, des manœuvres se tramaient, des perspectives de victoire crédibles se profilaient. Un nul semblait de moins en moins probable.

Poursuivre la partie ou ajourner jusqu'au lendemain (dans la mesure où chaque joueur comptait quarante coups à son actif), tel était le dilemme auquel Gelb était confronté. Il choisit de jouer. L'annonceur avança d'une case le pion du Fou-Roi blanc. Et ce même pion poursuivit sa marche lors des deux coups suivants. La victoire semblait se concentrer dans cette petite silhouette toute humble.

Pendant un moment, toutefois, personne ne réagit, ni les maîtres, ni les reporters, pas plus que l'annonceur et son étrange allure. Durant quelques instants on n'entendit plus que son essoufflement, sa démarche à la fois pesante et précautionneuse. Tétanisés, nous le regardions effectuer chaque nouveau mouvement. La Tour noire, le Cavalier blanc, le pion du Cavalier-Dame noir, l'autre Cavalier blanc, le Roi noir, le Roi blanc, chaque pièce disparaissait entre ses doigts pour être déposée un peu plus loin, comme autant de babioles minutieusement réarrangées sur une étagère. Parfois, comme si l'annonceur était mécontent de la position d'une pièce, on voyait sa main la déplacer deux ou trois fois de suite. Très rapidement aussi car les coups n'étaient séparés que d'une ou deux minutes. Et puis soudain, après le quarante-septième coup du challenger, le manège prit fin. Pendant une demi-heure on ne revit pas ce personnage.

Quand il revint enfin annoncer le coup de Koroguine, je ne pus m'empêcher de remarquer dans ses yeux une secrète excitation. Il fit plusieurs apparitions jusqu'à la capitulation, quatre coups plus tard, du champion, qui n'avait trouvé aucune solution à ses ennuis. Le dernier déplacement de cette partie fut celui du Cavalier blanc, ce même Cavalier blanc qui avait rejoint le bord de l'échiquier trente coups auparavant, pour y attendre son heure.

À peine une partie plus tôt, Koroguine se battait encore pour revenir à égalité. Désormais, il était mené 5-2. Je regardai ma montre, cherchant à estimer le temps que chacun des protagonistes avait pris pour réfléchir. Gelb : une heure vingt-quatre minutes. Soit à peine plus de la moitié du temps alloué à chacun des joueurs pour les quarante premiers coups (le plus remarquable étant que dans ce même délai il avait exécuté non pas quarante mais cinquante-deux coups). Koroguine, lui, avait eu besoin de trois heures et dix-sept minutes.

Quand j'atteignis la grande salle, le public était encore en train d'applaudir. Le champion était assis seul à sa table, occupé à replacer les pièces sur l'échiquier, les faisant tourner entre ses longs doigts blancs, apparemment indifférent à la chaise vide de son vainqueur.

Les applaudissements cessèrent peu à peu mais Koroguine ne se décidait toujours pas à partir. Finalement son assistant, le grand maître Rudik, vint lui souffler quelque chose à l'oreille. Le vieux champion leva les yeux vers Rudik, puis vers la salle à moitié vide. Et se redressant difficilement, alourdi par ses pensées, il laissa tomber par terre le Cavalier blanc qu'il serrait dans sa main droite.

Chapitre 9

« Camarades, merci de ne pas suspendre vos sous-vêtements sur les paliers. Vous pouvez les faire sécher chez vous sur les canalisations de chauffage ou les radiateurs. Cet immeuble n'est pas un dortoir d'usine ni un kolkhoze, mais une résidence à Moscou. »

La doléance de la voisine était apparue dans la soirée sur le panneau d'affichage. De retour du théâtre, je souris en la découvrant. (Mon épouse et moi, assez discrets en matière de sous-vêtements, ne nous sentions pas visés.) Ma femme, cependant, ne voyait pas l'aspect drolatique de l'incident. Le lendemain matin, elle me confia avoir fort envie de descendre arracher le message.

« Je suis sûre que c'est la mégère du deuxième qui recommence son cirque. C'est à cause d'elle que les jeunes n'osent plus se réunir dans la cour intérieure de l'immeuble.

– Tu ne peux pas en être sûre. Et puis une cour d'immeuble n'est pas exactement le terrain de jeu approprié pour de jeunes beatniks qui veulent s'essayer aux dernières danses. C'est pareil pour les sous-vêtements sur le palier : je ne pense pas que je vais regretter les culottes bouffantes de la mère Pavlova…

– La question n'est pas là. Le sel est sur la table ? »

Elle faisait frire des œufs dans la cuisine.

«Oui. Le poivre aussi.»

Elle apporta la poêle qui grésillait encore.

«La question, c'est que nous devons tous vivre en bonne intelligence. Tu veux bien pousser tes dossiers, s'il te plaît?

– Les concessions mutuelles, c'est ta philosophie de la vie à huit heures du matin, hein?

– Et pourquoi refuserait-on les concessions mutuelles?»

Elle s'assit pour prendre son petit déjeuner. «Ce que tu oublies, c'est que nous sommes des privilégiés: tous les voisins n'ont pas autant de mètres carrés que nous. J'ai de la chance d'avoir épousé un écrivain! En plus nous n'avons ni enfants ni petits-enfants. On peut bien laisser quelques culottes bouffantes, comme tu dis, sécher sur le palier. La mégère aussi, d'ailleurs.»

Le jaune de mon œuf avait durci.

«Mais si la mégère était tout simplement attachée à la bonne tenue de son immeuble?

– Elle est surtout constipée.

– Peut-être. Mais elle n'est pas la seule résidente à considérer que nous vivons dans un pays moderne. Pour être honnête, ça me gêne de devoir baisser la tête sous le linge des voisins quand je pars au travail le matin. Ce ne serait pas grave si c'était seulement une fois de temps en temps. Mais on dirait qu'il ne se passe pas une semaine sans qu'un locataire n'organise son petit festival de sous-vêtements dégoulinants.»

Elle mastiqua sans rien dire pendant une ou deux minutes. Saupoudra de poivre le dernier blanc d'œuf. Pourchassa de sa fourchette, sur les bords de l'assiette, les filaments gélatineux. Les engloutit avec un morceau de pain de seigle.

«Impossible de te parler quand tu commences à être de bonne humeur...

– De bonne humeur? Alors pour qu'on puisse se parler, il faut que je sois déprimé?»

Elle secoua la tête, puis ajouta, doucement :

«Il ne peut pas continuer à gagner, tu sais.

– Je sais.»

Un match, pensai-je, c'est la vie en miniature : des hauts et des bas, des progressions spectaculaires et des revers, des retournements de situation. Une durée incertaine. Exactement comme on peut gagner de l'argent, beaucoup d'argent et le perdre tout aussi vite, un joueur peut prendre l'avantage au début d'un match puis fléchir et finir par s'effondrer en un rien de temps.

«Trois points c'est une avance confortable, répondis-je. Mais je suppose que tu as raison. Tôt ou tard, Gelb devra concéder un point. Ce n'est pas que j'en ai envie. Il est dans une forme étonnante, ça va sans dire. Mais je suis sans doute réaliste. On ne peut attendre d'un joueur qu'il vole de victoire en victoire sans jamais perdre. De même qu'on ne peut attendre d'un palier d'immeuble, ce grand espace vide, qu'il reste aussi propre et vide qu'une salle de musée.»

Nous échangeâmes des sourires.

Je repris : «C'est une belle avance mais on n'en est qu'au tout début. Koroguine a encore plein de parties pour revenir dans le match. Et peut-être que pour lui, un retard de trois points, ça ne représente pas grand-chose. Gelb, en revanche, a peut-être besoin de ces trois points d'écart pour que son avance soit vraiment significative. Ça me rappelle ce vieux proverbe du temps du tsar, à l'époque où les enfants de paysans tombaient comme des mouches : "Un fils, pas de fils; deux fils, un demi-fils; trois fils, un fils." Il fallait faire au moins trois enfants pour être sûr d'en voir un parvenir à l'âge

159

adulte. Eh bien peut-être Gelb se dit-il : "Une victoire, pas de victoire ; deux victoires, une demi-victoire ; trois victoires, une victoire." »

Je lui racontai alors le championnat du monde 1935. L'exemple même du match où celui qui mène, en l'occurrence le favori, finit par perdre. Alekhine, fort de toutes ses victoires antérieures, avait sous-estimé le grand maître Max Euwe. Et après sept parties, le tenant du titre distançait le Néerlandais de trois points. À 5-2 en sa faveur, Alekhine pensa probablement que le championnat était joué. Mais il se trompait. Son excès d'assurance le perdit. Le Néerlandais se reprit, gagna les quatre parties qu'il eut ensuite à ouvrir avec les Blancs et s'imposa d'un point.

Ma femme ramassa les couverts, les rapporta à la cuisine et les passa sous l'eau du robinet.

Un quart de siècle plus tôt, Alekhine avait été champion du monde d'échecs. Puis Max Euwe l'avait brièvement remplacé. Aujourd'hui leur successeur luttait pour préserver sa couronne. Koroguine avait sans aucun doute appris des bévues d'Alekhine et des méthodes d'Euwe, de même qu'Alekhine et Euwe, en leur temps, avaient su exploiter inventions et faux pas des géants Lasker et Capablanca. L'espace d'une génération, Koroguine aura marqué le jeu de son empreinte. Mais les échecs évoluent sans cesse, le jeu se renouvelle constamment, jusqu'au moment où il finit par dépasser les seules méninges de son champion. C'est alors qu'un *nouveau* grand maître se hisse vers les sommets.

Ainsi allaient mes pensées, tandis que je me laissais délicieusement couler au fond de mon bain. La fatigue referma mes paupières. Ah! béatitude absolue... Vivre dans un pays moderne! Même après six mois dans cet appartement équipé d'une salle de bains, le plaisir de ce moment demeurait intact. Adieu les bains publics, les verrues, les regards fuyants, la toilette au seau d'eau réchauffé sur le poêle quand le bassin collectif est hors d'usage. Les disputes, la précipitation, l'embarras qui faisaient de ce moment d'ablutions un tel cauchemar, tout cela n'était plus qu'un lointain souvenir. Quel soulagement de pouvoir oublier les bassines de fer-blanc rouillées, une pour la tête et l'autre pour les pieds, où l'unique robinet crachait son eau brûlante. Emportée jusqu'au banc libre le plus proche, son contenu quand on le déversait aspergeait et éclaboussait surtout le carrelage. Sous le poids de l'eau, les genoux des baigneurs s'entrechoquaient et tremblotaient. Quelle joie d'oublier l'éponge rêche et dégoulinante qui m'écorchait la peau !

Mon rituel de toilette hebdomadaire était enfin libéré de ces désagréments. Étendu dans ma conque d'eau bleue, je laissais l'eau me caresser le menton, assez proche pour en humer l'odeur, et les yeux hermétiquement clos, j'inspirais les effluves d'eau savonneuse. Je percevais aussi la douce pression de l'eau sur les côtés de mon corps. Elle soulevait les poils fins de mes jambes et ridait la peau de mes doigts, plus sensible que jamais. J'entendais dans la pièce voisine ma femme bavarder au téléphone, paroles indistinctes emportées par le réseau. Pas de mots, seule une voix, seuls les sons intermittents d'un monologue débité à voix basse. J'y retrouvais le rythme d'un rituel familier. C'était très probablement sa mère, à l'autre bout du fil. Ou celle de ses sœurs à qui elle parlait encore.

J'ouvris les yeux. La mousse savonneuse avait pris une odeur aigrelette. L'eau me semblait plus rigide et la voix dans l'autre pièce plus grave. Je regardai paresseusement autour de moi. Sur une corde à linge pendait la chemise blanche, jaunie par l'éclairage, que je devrais porter au match. C'est avec elle que j'allais prendre le bus pour le centre-ville, jusqu'au boulevard Tverskoï où je gagnerais à pied mon siège du théâtre Pouchkine et son ambiance survoltée. Je maîtrisais à grand-peine mon impatience. Il me tardait de prendre place au milieu de la foule des spectateurs pour assister à la huitième partie. Le champion aurait les Blancs. Comment ouvrirait-il? Avec le pion du Fou-Dame? Avec le pion-Dame? Avec une autre pièce? Jetterait-il aussitôt ses forces dans une âpre bataille pour arracher la victoire ou opterait-il pour une stratégie plus graduelle? Et comment Gelb, avec son avance de trois points, allait-il réagir?

À demi masqué par la chemise, le miroir de la salle de bains était opaque de buée. L'eau de la baignoire refroidissait mais les pensées affluaient sans discontinuer. Elles jaillissaient de tous les recoins de mon esprit. Chaque camp, songeai-je, avait de bonnes raisons de croire en sa supériorité. Pour le challenger et son entraîneur Koblents, le score parlait de lui-même: Gelb avait remporté trois parties et obtenu le nul dans quatre autres. C'était la première fois depuis un demi-siècle qu'on voyait un champion du monde disputer les sept premières parties sans en gagner une seule. Gelb avait, jusqu'ici, déjoué tous les calculs du tenant: son jeu était fluide et sa main sûre. Il présentait toutes les caractéristiques d'un vainqueur imminent.

L'espoir: ce n'était certes pas le plus confortable des refuges pour le champion et Rudik, son assistant. Mais le score avait beau heurter son amour-propre, il n'était pas encore nécessairement irréversible. Koroguine pouvait très bien remonter son retard, tout comme le Néerlandais Euwe vingt-cinq ans plus tôt. Ses défaites elles-mêmes renfermaient les promesses d'un futur rétablissement: l'échec de la sixième partie n'était rien d'autre qu'une victoire manquée de peu, s'il fallait en croire l'analyse de Zivonovic. Et l'issue défavorable de la septième avait fait oublier sa domination aux premières heures de la partie. Lui seul avait eu des possibilités de succès dans les quatre parties conclues par un nul. Une victoire manquée, une courte défaite, des nuls aux allures de quasi-victoires, c'était assez pour continuer à espérer.

Il me tardait d'assister à ce match. Distrait par ces pensées, je restais immobile, oubliant de tirer sur le bouchon, jusqu'à ce que l'eau devînt si froide que je finis par bondir hors de la baignoire. La dentelle d'eau qui me couvrait éclaboussa bruyamment le sol, mes orteils trempés dérapèrent sur le carrelage, je chutai.

Le vieux médecin qui me prescrivit des antalgiques m'expliqua que j'avais eu de la chance de ne pas m'être cassé quelque chose. Je m'en sortais avec une cheville foulée. Sans compter l'embarras de ma femme qui avait dû me traîner de la salle de bains jusqu'au lit. «Rien de sérieux», me rassura-t-il. Si compromise que parût ma situation, l'entorse n'exigeait qu'un bon repos – trois à cinq jours.

Mais plus question de me rendre au théâtre le lendemain. Je m'arrangeai pour me faire remplacer par ma femme. À elle d'être mes yeux et mes oreilles pour la durée de cette partie. Il me suffit d'un rapide appel au bureau. Elle hérita de ma carte de presse, de mon siège et se joignit aux quelques milliers de spectateurs du théâtre Pouchkine. Sa mission : me rapporter ses impressions à domicile. Il me resterait une heure ou deux pour boucler mon article et le dicter par téléphone.

J'attendis son compte rendu au lit, armé de mon stylo et de quelques pages de notes ainsi que de mon échiquier portatif glissé entre les couvertures. Posé à côté de moi, un petit transistor, réglé sur la fréquence adéquate. Comme toujours le commentaire de Vadim Slavsky était impeccable, il n'omit pas un seul déplacement de pion. Et tellement vivant : l'écouter, c'était presque être assis face aux champions dans la grande salle du théâtre. De quatre heures de l'après-midi à neuf heures du soir, sa voix avait empli la pièce, vibrant d'un enthousiasme contagieux à mesure qu'elle traduisait les mouvements des joueurs comme les intervalles entre chaque coup, qui lui inspirait des mots toujours justes : longues phrases à voix basse, presque murmurées, lors des phases de jeu les plus embrouillées ; brèves et articulées d'une voix plus forte quand le tempo et les captures s'accéléraient. Chacun de ces coups, expliquait le commentateur, avait une histoire, qu'en incomparable connaisseur des échecs il excellait à raconter. Dans sa bouche, la partie se muait en perpétuelle remémoration du passé, tout déplacement s'expliquant par un coup similaire exécuté jadis – telle enjambée du Cavalier, telle oblique du Fou faisaient écho à la détermination d'Euwe, au flair d'Alekhine, à la passion de Capablanca pour l'harmonie. Sur le terreau du savoir constitué, les nouvelles idées n'en finissaient jamais de fleurir.

La voix de Slavsky quitta finalement ma chambre d'un demi-tour de bouton. Après cinq heures passées en sa compagnie, c'était comme si je prenais congé d'un vieil ami de la famille.

Au moment où ma femme revint du théâtre, le transistor était froid.

« Comment va ta cheville ? »

Je l'invitai à prendre sur le lit la place du transistor.

« Mieux. Elle a désenflé. »

Elle ôta son manteau lentement, retrouvant sa silhouette fine, le suspendit à la porte et vint s'asseoir au bord du lit.

Elle semblait embarrassée. La partie lui avait donné raison : c'était parfaitement exact, le challenger ne pouvait continuer à gagner indéfiniment. Il avait perdu. Après un moment de silence, elle me demanda : «Que veux-tu savoir exactement ?» Mais moi je ne voulais surtout pas l'orienter. C'étaient ses impressions qui m'intéressaient, les mille détails vus et entendus, indépendamment de toute idée de victoire ou de défaite. «Tout ce qui te vient à l'esprit.» «Je ne sais pas. Je ne sais pas par où commencer.» Je ne l'aidai pas, de crainte de dénaturer son expérience. J'attendis. Elle ne semblait guère pressée de parler. Elle se passa la main sur le front et garda le silence un bon moment. Était-ce mon transistor qui expliquait sa perplexité, son silence prolongé ? Peut-être estimait-elle ne pas être de taille à rivaliser avec Slavsky. Son attitude lorsqu'elle se décida enfin était empreinte d'hésitation. Elle me dit que la partie avait été très serrée. Elle décrivit la salle, son point de vue sur la scène, ses voisins complètement silencieux. Elle avait trouvé les joueurs concentrés, élégamment habillés, l'air sérieux. Gelb était aussi avenant que le montraient les photos parues dans la presse. Le champion n'avait pas laissé percer la moindre pointe de nervosité.

J'étais consterné. Elle ne m'avait dit que ce qu'elle croyait que je voulais ou avais besoin d'entendre. Curieusement neutre dans le ton, voire policée du début à la fin, elle me donnait l'impression de s'adresser à un étranger. Sa politesse me déconcerta. Dans ces descriptions convenues, je ne la retrouvais pas. Mais c'est justement à ce moment qu'elle ajouta quelque chose à propos de Madame Koroguine. Je la coupai au milieu de sa phrase. «Madame Koroguine ?

– Oui, l'épouse du champion, elle était là, avec leur fille.»
La présence des femmes Koroguine au théâtre était à mes
yeux un vrai scoop. J'étais convaincu que le champion séparait
toujours le monde des échecs et sa famille. Une seule fois
j'avais repéré Madame Koroguine aux côtés de son mari, lors
de la cérémonie d'ouverture. Elle devisait avec des journalistes
à quelques mètres de moi. Sa fille, je ne l'avais jamais vue. Le
nourrisson qui restait autrefois à Leningrad pendant les déplacements internationaux du grand maître, là-voilà devenu une
jeune femme curieuse de théâtre et probablement du même
âge que Dina, la fiancée du challenger.

Ma femme sentit qu'elle avait excité ma curiosité. Se
rappelant la sienne, vieille de quelques heures seulement, elle
continua à parler mais plus librement cette fois, en souriant,
redevenue elle-même : « Toutes deux vêtues pour le théâtre, en
robes de soie noire avec manches trois-quarts, gants blancs et
double décolleté en V. Je me sentais mal fagotée rien qu'à les
regarder.

– Tu n'as sans doute pas eu l'occasion d'échanger quelques
mots avec elles ?

– Non, en effet. Elles étaient au premier rang. Mais après
la partie elles sont restées à proximité de la scène pour distri-
buer saluts et poignées de mains. Des gens, beaucoup de gens,
hommes et femmes, ont remonté les travées pour les compli-
menter et leur adresser des vœux pour la réussite du père et
mari. Je me suis faufilée dans le petit groupe. Une grosse dame
devant moi… » (Elle arrondit ses bras devant elle en un geste
évocateur.) «… très forte, doit manger comme trois, mais
élégante dans sa robe beige surmontée d'un rang de perles…
En fait la grosse femme et Madame Koroguine étaient amies.
Madame Koroguine lui a dit… »
Sa voix se fit alors plus confidentielle :

«Elle lui a dit: "Maria, tu n'imagineras jamais quels problèmes nous avons eus ce matin. Il ne retrouvait plus ses lunettes! On a retourné toutes ses poches, les valises, les tiroirs, mis la pièce sens dessus dessous pour les retrouver, mais rien à faire." »

J'étais comblé. Enfin mon stylo allait avoir des mots à tracer sur le papier.

«Koroguine a joué sans ses lunettes, alors? Il n'a sans doute pas eu le temps de s'en faire faire une nouvelle paire.»

Ma femme répondit d'un hochement de tête.

«Apparemment, il portait une autre paire que d'habitude, des lunettes de lecture. Je ne dirais pas qu'elles le flattaient, mais je suppose que c'était la seule autre paire dont il disposait.

– Et à quoi ressemblaient-elles?

– Voyons voir…»

Elle entrouvrit la bouche comme on le fait lorsqu'on tente de faire remonter un souvenir.

«Noires, définitivement noires. Branches longues et épaisses avec des angles aigus.

– Et elles ont dit autre chose, les femmes Koroguine?

– La fille, petite bouche comme son père, a dit à l'amie que les lunettes étaient réapparues deux heures plus tôt dans son sac. Elle y avait cherché un mouchoir pendant la deuxième ou la troisième heure de jeu, et senti un objet rouler sous ses doigts. Que faisaient ces lunettes dans son sac, elle n'aurait su le dire. Les deux femmes avaient eu un sacré choc quand elle les avait sorties du sac, toutes pelucheuses.

– Et après?

– Après, elles se sont excusées et elles sont parties. Je suppose qu'elles voulaient réunir les lunettes et leur propriétaire. Je suis allée dans la salle de presse comme tu le souhaitais

167

et j'ai demandé au grand maître barbu ses impressions sur la partie.»

Le grand maître Romanovsky a estimé que l'erreur du challenger au trente-quatrième coup – la mauvaise Tour jouée sur la bonne case – avait «sauvé Koroguine de l'humiliation». Jusque-là Koroguine avait pourtant appliqué sans trop de peine une stratégie de haut niveau. Il n'avait concédé l'avantage qu'au prix d'une «inexactitude» (c'est Romanovsky qui parle). Il aurait pu être confronté à des problèmes insurmontables et perdre. Il passait tellement de temps en calculs de toute sorte. Mais Gelb, en réaction, n'a rien trouvé de mieux que cette bévue, qui a entraîné sa reddition sept coups plus tard.

Ma femme était aussi fatiguée que moi. J'écrivis un moment avant de décrocher mon téléphone et d'appeler le bureau.

«Bonsoir, c'est Otchik. Est-ce que quelqu'un peut prendre mon article en sténo? Très bien. Prêt? Le titre: Huitième partie: le champion change de lunettes et décroche sa première victoire. Le sous-titre: Le grand maître Gelb mène désormais 5-3. Premier paragraphe: C'est l'histoire de deux Tours...»

Chapitre 10

Parmi toutes les pièces de l'échiquier, chaque maître a sa préférée. Maître Golov a dit un jour que ce favoritisme était le commencement du style. Je me souviens à quel point il aimait amener la Tour-Dame blanche de son encoignure à la case libérée par ladite Dame, mouvement qu'il appelait le coup d'Anderssen, d'après le célèbre joueur allemand du XIXe siècle. Comme il admirait Anderssen, qui avait été un «joueur de Tours», il semblait tout naturel que maître Golov fît lui aussi de la Tour-Dame blanche un paramètre essentiel de son jeu.

Chaque fois qu'un adversaire occupait une certaine position, il se penchait vers la gauche, recourbait ses doigts et faisait glisser vers la droite, de trois cases exactement, sa main alourdie d'une pièce. Ce geste lui était devenu une seconde nature. À nous, ses élèves, tout imprégnés de ses exposés théoriques, ce déplacement avait fini par être familier. Si familier que nous avions un peu de peine à dissocier le geste de la pièce, comme si la Tour-Dame blanche n'avait d'autre mouvement autorisé que ce glissement horizontal de trois cases sur la première rangée de l'échiquier, de la gauche vers la droite.

Avant d'imprimer une autre impulsion à la petite Tour en bois, nous y réfléchissions à deux fois. Et lorsque l'un des élèves, opposé à un jeune d'un niveau sensiblement inférieur au sien, lui proposait une partie «à handicap», c'est-à-dire qu'il se privait d'une pièce dès le départ, il prenait toujours soin de conserver ses deux Tours. On pouvait se passer d'un Cavalier, maître Golov nous l'avait appris; d'un Fou aussi. Mais sans les Tours, les échecs ne seraient pas les échecs. Et c'est ainsi, grâce aux leçons de maître Golov, que je me suis familiarisé avec la Tour-Dame blanche, avec sa force et sa grâce. C'est aussi lui, je me souviens, qui m'a fait découvrir les déplacements particuliers des autres pièces, les autres styles. J'ai appris à ne jamais dédaigner l'humble pion, en dépit de sa langueur. Grâce aux exemples de maître Golov, j'ai vu des parties où de gentils pions repoussaient les attaques, encerclaient les pièces ennemies et érigeaient sur l'échiquier d'harmonieuses fortifications. Ces parties très anciennes, qui datent de l'époque des salons parisiens, présentaient un point commun: le déplacement précoce du pion-Dame. Cette «défense Philidor», inventée cent cinquante ans avant ma naissance, porte le nom du compositeur et joueur d'échecs français qui la popularisa. Au salon qui la vit naître, l'ouverture avait dû paraître singulière – étrangement défiante et passive. De nos jours le pion, maillon essentiel de la chaîne défensive (ce qui n'étonne que les profanes), se jette à l'attaque avec une confiance totale. Tous les maîtres modernes voient les pions par les yeux de Philidor.

Je comprends mieux aujourd'hui les accès de nostalgie dont le maître était coutumier. À propos de la Dame, maître Golov disait que «nos ancêtres, eux, savaient comment l'utiliser. Mais cette époque est loin derrière nous. Même un grand maître comme Euwe n'a strictement rien compris à la Dame. C'est pareil pour les maîtres d'Europe de l'Ouest.» En une autre occasion, il déclara : «C'est à nous, Soviétiques, de retrouver ce savoir et de le révéler au monde. Quand ils auront appris à aimer la Dame autant que nos ancêtres, vous allez voir les parties dont nos champions seront capables!» Cette connaissance effritée par le temps et un fatras de modes, il était l'un des rares à la détenir. Il était quasiment le seul parmi ses pairs à voir dans la Dame ce qu'elle avait représenté autrefois : la célérité par excellence, mais aussi la polyvalence, et l'ingéniosité. «Celle-ci», nous avait-il dit un jour, élevant la pièce à hauteur d'œil, «porte de multiples noms qui nous ont été transmis depuis des siècles. Tout dépend de la façon dont elle se déplace.» Il l'avait reposée lourdement sur une case de l'échiquier vide. «Quand elle va de là à ici», dit-il en faisant glisser la Dame en diagonale vers une case adjacente, «on l'appelle la "Petite Sœur".» Le grand Tchigorine, nous expliqua-t-il, avait un faible pour ce mouvement subtil, bien qu'il n'en ait pas inventé le nom : il était plus ancien encore. «Vous voyez comme elle fait trois ou quatre choses différentes à la fois? Une case, mais la bonne, c'est tout le mouvement dont elle a besoin!»

Il y avait d'autres noms qui m'échappent, des noms anciens aux consonances douces, pour désigner ces facultés royales plus ou moins perdues de vue. Je suppose qu'elles ont survécu quelque part dans la mémoire de quelques-uns des élèves de maître Golov les plus brillants, aujourd'hui dispersés. Je ne me souviens plus guère que de la «Petite Sœur» et de deux autres : «Nastyusha» («chère Anastasie») et «babochka» («papillon»). Jouer une Nastyusha consistait à déplacer la Dame verticalement pour lui faire déloger un pion de la couleur opposée. Un mouvement délicat qui demandait un certain cran, et pouvait s'avérer dévastateur, exécuté au moment opportun. Combien de fois avais-je entendu un élève raconter : « J'ai joué une Nastyusha et ses défenses se sont effondrées comme un château de cartes. » Dévastateur, mais je le tentais rarement moi-même (étant un joueur trop méfiant, peut-être trop timide aussi). Je préférais la babochka – une manœuvre horizontale par laquelle la Dame changeait de côté, aile Dame vers aile Roi ou *vice versa*. Je me rappelle vaguement que le déplacement de la Dame l'amenait toujours sur une des cases les plus périphériques ou à proximité de celle-ci, mais c'était il y a si longtemps que je n'en suis plus très sûr. D'autant que les particularités de ces déplacements, tout comme leurs noms, me sont devenus assez flous.

Aujourd'hui, quand j'y repense, je ne vois plus, aujourd'hui, la Dame ou l'échiquier comme s'ils se trouvaient devant mes yeux. Je vois des hommes depuis longtemps disparus qui ont passé leurs jours et leurs nuits à contempler la géométrie de leur passion, s'attardant tendrement sur certains de ses aspects, et donnant un surnom à chacun d'eux. Leur dévotion envers les échecs – les Tours, les pions, les complexités de la Dame –, je n'ai jamais pu tout à fait y adhérer. Mais, sous une forme atténuée, elle est partagée par tous les passionnés de ce jeu.

Dans l'univers échiquéen, tout joueur – maître ou amateur – choisit son camp. Il préférera peut-être échanger ses Fous contre les Cavaliers de son adversaire, ou à l'inverse ses Cavaliers contre les Fous. Il aura peut-être davantage d'affinités avec l'excentrique Cavalier, ou au contraire avec ce Fou capable de fendre d'un seul trait l'échiquier. Les idées taillées sur mesure pour le Fou ne sont d'aucune utilité au Cavalier. Le joueur qui « pense Cavalier » sera souvent agacé par les sournoises obliques du Fou.

Koroguine était plus «Fou», son challenger plus à l'aise avec les Cavaliers.

Ce que confirma le jeu de Gelb au cours des escarmouches initiales de la neuvième partie : omniprésents et pleins d'énergie, les Cavaliers blancs déployés sur les cases centrales de l'échiquier donnaient l'impression de se multiplier, de caracoler tous azimuts, toujours prêts à fondre sur l'ennemi. C'était comme si, après sa première défaite deux jours plus tôt, le challenger, rebelle de nature, avait décidé de s'en tenir à la ligne de jeu qu'il avait suivie depuis le début de la compétition. Rien dans ses déplacements ne suggérait la moindre concession à l'assurance retrouvée du champion. Rien n'indiquait une éventuelle révision de sa stratégie. Une inébranlable confiance en soi : voilà ce qu'exprimaient ses Cavaliers trépignant d'impatience. Koroguine avait dû recevoir le message cinq sur cinq.

Le champion répondit du mieux qu'il put, à l'aide de ses Fous noirs. À peine le Fou de la Dame noire menaça-t-il le Cavalier de la Dame blanche que celui-ci se lança à ses trousses. Et le Fou dut à nouveau reculer à l'approche du second Cavalier blanc. Renforçant la contre-attaque au dixième coup, le Fou-Roi noir vint défier les Cavaliers blancs alignés tous deux sur la même diagonale de sa longue trajectoire. Mais l'assaut de Koroguine manquait de conviction : les Cavaliers blancs étaient agressifs, les Fous noirs hésitants et heurtés. Malgré une défense méticuleusement exécutée, il perdit l'initiative.

L'un des Cavaliers blancs, le Cavalier du Roi, évinça un pion noir, à deux cases du Roi du champion. S'ensuivit une série d'échanges rapides : un deuxième pion noir, puis un Fou blanc, prirent la place du pion noir initial. Deux pions noirs, et l'initiative, contre le Cavalier-Roi blanc : le marché semblait honnête. Les positions avaient atteint un gracieux équilibre.

Ce fut donc une surprise quand, une demi-douzaine de coups plus tard, le second Cavalier, celui de la Dame, se trouva à son tour expulsé de l'échiquier, en échange d'un Fou noir. Alors que la partie n'était pas encore parvenue à sa phase médiane et qu'il avait eu l'initiative depuis le début, il était étonnant de voir le challenger privé si tôt de ses Cavaliers. La situation était à présent inversée : la paire de Cavaliers menaçants était noire, le seul Fou qui restait sur l'échiquier était blanc. Et c'était maintenant le Fou de Gelb qui se trouvait en position de faiblesse.

Comme s'il n'avait pas la moindre idée de ce qu'il devait en faire, Gelb laissa son Fou faire le pied de grue sur une case excentrée. Il y demeura les onze coups suivants, pratiquement hors jeu, sans influence sur l'action qui s'était déplacée de l'autre côté. Autour du Fou réduit à l'inertie, les pièces noires évoluaient avec une aisance et une rapidité meurtrières, soudainement maîtresses de la totalité de l'échiquier. Elles faisaient le vide autour d'elles, resserraient les rangs, décimaient les compagnons du Fou blanc réduits maintenant à une Tour et une poignée de pions. Si bien qu'au moment où le Fou quitta enfin son carré, la partie semblait pratiquement terminée. Le Fou s'était réveillé trop tard. Ce mouvement, comme ceux qui l'avaient précédé, était contraint. Sa mauvaise position le limitait à de mauvais déplacements potentiels. Quoi qu'il décide, le challenger se trouvait obligé de choisir entre le pire et le moins mauvais.

La pendule représentait maintenant son seul espoir. Avant l'échange de son deuxième Cavalier et les errements de son Fou, Gelb avait posé de redoutables problèmes au champion, qui avait dû consacrer à les résoudre une part non négligeable de son temps imparti. Resterait-il à Koroguine suffisamment de minutes pour confirmer sa victoire ? Ou allait-il laisser la précipitation ruiner ses chances et jouer un coup qui redonnerait à Gelb des marges de manœuvre ? Quand on a ce genre de pensées, c'est qu'on va perdre.

Gelb perdit.

Koroguine bat Gelb dans la neuvième partie. Le champion remporte sa deuxième victoire, triomphait la une de la *Pravda* le lendemain matin. Sous le titre, un éditorial non signé mettait en garde ceux qui doutaient du champion du monde :

« Le tenant du titre a contribué plus que quiconque à l'élévation et à la purification de la culture des échecs… Le jeu, notre héritage national, recèle une puissance intérieure alliée à une élégance inépuisables qu'il incombe aux maîtres de préserver de toute pollution… Le jeu de Koroguine se caractérise par son calme, sa rationalité, l'objectivité de ses coups. Sa deuxième victoire consécutive dans ce match confirme une résolution partielle du style de son adversaire… Le grand maître Gelb a sans aucun doute accompli quelques prouesses exceptionnellement vivantes et astucieuses. Néanmoins, d'un point de vue scientifique, les parties disputées jusqu'à présent ont mis en évidence des déficiences dans le jeu du jeune maître. Pour un joueur de classe mondiale, l'approche du jeu de Gelb est étonnamment téméraire, pour ne pas dire inconsidérée, voire franchement irresponsable. Ce style de jeu à courte vue, *"On joue d'abord, on calcule ensuite"*, peut être considéré comme incompatible avec la culture socialiste des échecs… Dans la neuvième partie, l'échange du Cavalier de la Dame blanche illustre parfaitement les déficiences créatives du challenger. Ce coup qui se veut audacieux est absolument incompréhensible pour quiconque est un tant soit peu versé dans la théorie scientifique des échecs… La réussite du champion est une victoire du travail de recherche approfondi et de la stricte adhésion aux principes créatifs. »

D'autres chroniqueurs faisaient preuve d'un enthousiasme comparable. Un compte rendu paru dans les *Izvestia* qualifiait cette victoire de « brillante » et de « premier chef-d'œuvre du match ». Le champion, affirmait *Trud*, avait montré « une virtuosité, un courage et une clarté d'intention exceptionnels. »

Gelb m'écrivit: «La partie d'hier ne me ressemblait pas. Un début prometteur, plein d'énergie, seulement au moment critique la certitude me fit défaut. Drôle de sentiment. Mais rassurez-vous, je ne vais pas me laisser abattre!»

Deux jours plus tard, le 5 avril, la dixième partie du match se concluait par un nul. Le challenger ne menait plus que d'un petit point – 5,5 à 4,5.

Chapitre 11

Une file s'était formée le long du boulevard. Des hommes et des femmes habillés pour une longue attente faisaient la queue devant le théâtre : manteaux et toques de fourrure, foulards repliés trois fois, bottes fourrées isolées avec du papier journal. Il régnait ce jour-là un froid mordant, surtout pour un premier jeudi d'avril, et à l'heure de l'ouverture des portes, la file des détenteurs d'un billet pour la onzième partie s'étirait déjà sur plusieurs centaines de mètres.

À l'avant de la queue je repérai un homme d'âge mûr. Plus grand que la moyenne, il tirait une fierté évidente de sa première place ; il avait tout du donneur d'interviews. Je songeai à ce qu'il aurait pu me dire d'intéressant, aiguillonné par mes questions, sur sa vision du match tel qu'il s'était déroulé jusqu'ici. Mais j'étais tiraillé. Pour me fondre dans cette foule, pour partager les attentes de ces gens, je devais éviter de me faire remarquer. S'ils réalisaient que j'étais un journaliste chargé de couvrir la rencontre, l'attitude de ces hommes et de ces femmes ne serait plus la même. Jusque-là, rien ne me distinguait d'eux. Je portais les mêmes bottes, le même chapeau et ma carte de presse était dissimulée sous plusieurs couches de vêtements. Chaque fois que je voyais un collègue se diriger vers la salle de presse, je me détournais.

Je gagnai à pas lents l'extrémité de la file, croisant des regards, parfois un sourire. Sans doute souriais-je aussi. Du reste les gens n'étaient guère bavards. Un éternuement ici, un reniflement là, mais peu de paroles échangées. Certains des hommes fumaient et l'on voyait flotter beaucoup de petits nuages, bien qu'il fût difficile de savoir s'il s'agissait de fumée de cigarette ou de vapeur exhalée. Pour tuer le temps, ils étaient nombreux à avoir apporté des livres. Des livres et non des journaux qu'eussent malmenés les brusques rafales de vent, réduisant leurs pages en charpie. Et puis les files d'attente sont peu propices aux mouvements amples ou à l'enchaînement de gestes minutieux requis pour tourner d'immenses pages. De par leur petite taille et leur robustesse, les livres étaient plus pratiques. On en voyait d'ailleurs partout dans les rues de Moscou, au gré des queues similaires qui se formaient devant les magasins, les ambassades, les services officiels. Des livres manipulés par des gants de toutes tailles. Des livres élevés à hauteur des yeux, comme pour les humer, ou tendrement tenus en main. Des livres épais, des maigres. Des livres explicatifs, divertissants. Des livres qui imposaient le silence. Je les passai en revue en remontant la file.

Je reconnus certains des titres ou des auteurs. Ainsi *Les Chercheurs* de Daniel Granine ; *L'homme ne vit pas seulement de pain*, de Vladimir Doudintsev ; un roman de Cholokhov mais rien de Pasternak ; des nouvelles d'Hemingway (une traduction, sous couverture noire). Je connaissais bien Hemingway car j'avais choisi son œuvre pour sujet de ma thèse. À la bibliothèque de la faculté, j'avais passé de longues heures en compagnie de ses livres, soulignant certains passages, analysant tel ou tel thème ou personnage – oubliant même souvent de déjeuner. J'avais lu ses nouvelles jusqu'à en abîmer le recueil. En revanche les romans, avec leurs corridas et leurs histoires de pêche, sans parler du cérémonial des cocktails («je déguste mon Martini accompagné d'une olive»), m'avaient demandé plus d'efforts. La passion de la lecture ne va pas sans déconvenues. Mais mon imagination en avait tiré le meilleur profit. Tout en songeant à Hemingway, je rejoignis le bout de la file d'un pas précautionneux, à cause de la gadoue, et pris ma place. Je ne restai pas longtemps le dernier, presque aussitôt rejoint par de nouveaux arrivants qui s'agglutinèrent silencieusement à ma suite, étirant un peu plus la longue chaîne des livres et des cigarettes. Je réalisai alors que j'étais arrivé les mains vides, sans l'en-cas de rigueur, ni ces livres ou un paquet de cigarettes pour m'occuper les mains. Sans même une allumette pour les derniers arrivés quand ils me demandèrent du feu. *Désolé.* Je n'avais que moi, ma présence, un seul parmi tant d'autres, dégageant tout au plus un peu de chaleur.

Six heures. Sur scène, les grands maîtres jouaient depuis deux heures. Le challenger déambulait entre chaque coup tandis que le champion demeurait impassible derrière ses verres épais. Il portait les lunettes de lecture noires et anguleuses que ma femme m'avait décrites en revenant de la huitième partie; la même paire qu'il avait sur le nez lors des parties neuf et dix. Après la neuvième, quand j'étais rentré chez moi, j'avais lancé: «Tu as oublié de me dire à quel point les nouvelles lunettes de Koroguine sont affreuses!» Car elles étaient vraiment hideuses, la monture bien trop fine pour une si grosse tête. De toute évidence, elles n'étaient pas destinées à être portées en dehors de la maison. Autant que je pusse m'en souvenir, le champion ne les avait jusqu'ici jamais arborées en compétition. Une nouveauté, donc. Délibérée, en outre, car si dans un premier temps, il avait été contraint de les chausser, c'était maintenant par choix qu'il portait ces horribles bésicles. Manifestement, même Koroguine n'était pas à l'abri d'une poussée de superstition. L'heure avait tourné, transformant en un lointain souvenir l'attente dans le froid. L'ambiance du théâtre était douillette. Pour les joueurs, sous les spots, c'était la fournaise : on voyait perler les gouttelettes de sueur sur le large front du champion, qu'il tapotait sans l'essuyer d'un mouchoir blanc et froissé, vite rengainé dans une poche de sa veste. Peut-être s'infusait-il, à force de café fumant continûment versé, cette suée miroitante qui offrait un contraste frappant avec l'expression enjouée de son adversaire.

En dépit de ses trois résultats précédents, deux défaites consécutives et un nul, et de sa mauvaise presse, Gelb semblait d'humeur allègre. Il avait débuté la partie par un coup spectaculaire : un déplacement du Cavalier-Roi blanc. Pour la première fois depuis le début du championnat, l'ouverture reléguait les pions au rôle de figurants. À présent, deux heures plus tard, le challenger avait toutes les raisons de se vouloir optimiste. À son quatorzième coup la partie était déjà bien vivante, riche des innombrables opportunités qu'autorise une position « ouverte », par opposition à la position « fermée » que privilégiait Koroguine. Le Cavalier du Roi blanc s'était aristocratiquement adjugé le centre de l'échiquier. Et Gelb disposait d'une meilleure réserve de temps pour la série de décisions délicates qu'il allait devoir prendre : une heure quarante-quatre minutes pour exécuter les vingt-six coups suivants, contre une heure un quart pour Koroguine.

Une position ouverte convenait au tempérament audacieux du challenger. Je réalisai à quel point il aimait ouvrir l'éventail des possibles et comme l'incertitude lui était jubilatoire. Il se sentait à l'aise dans les positions compliquées, celles-là mêmes que beaucoup de maîtres auraient aussitôt cherché à simplifier. Découvrir le « juste coup » à chaque étape du jeu ne semblait pas l'intéresser. Je ne suis même pas sûr qu'il prêtait foi à ce genre de notion. Jouer au moment propice, voilà ce en quoi il croyait, en tout cas c'était l'impression que j'avais. Son seul et unique credo : saisir l'occasion par les cheveux.

Pour son quinzième coup, Gelb captura un pion avec son Cavalier si bien positionné. Lequel Cavalier s'en prit ensuite à la Dame noire, la contraignant à fuir.

La Dame noire recula encore au coup suivant, et de nouveau quatre déplacements plus tard pour finir terrée dans le recoin supérieur gauche de l'échiquier. Contraint à un repli défensif qui lui ôtait toute marge de manœuvre, Koroguine avait apparemment choisi d'attendre la fin de l'attaque. Mais la troisième heure de jeu ne lui laissa guère d'occasion de prendre la moindre initiative. Il fallut attendre dix-neuf heures trente pour que le champion déclenche sa contre-attaque. Il y eut dans le public quelques hoquets de surprise quand le pion du Fou-Roi noir se lança à l'assaut des pions centraux du challenger. Que ce mouvement eût été longtemps réfléchi ou décidé au contraire à la dernière minute, il eut un effet puissant et stoppa net l'assaut des Blancs. Gelb, parti fumer en coulisses, faillit trébucher en traversant prestement la scène pour regagner sa chaise. À demi-assis, ou plutôt courbé sur la table, il nota le coup de son adversaire sur sa feuille et l'on crut qu'il allait se relever. Mais il se ravisa aussitôt et s'assit pour de bon. Les bras croisés sur la table, le menton posé sur ses avant-bras, le challenger contemplait fixement l'échiquier. L'expression de son visage ovale ressemblait beaucoup à de l'étonnement.

Les jours de match, je me passais ordinairement de dîner. Entre la tension suscitée par les heures passées au théâtre et l'anxiété du papier à écrire avant l'heure limite, mon esprit ne se préoccupait pas vraiment des questions d'alimentation. Mais en regardant Gelb contempler l'échiquier et peser son prochain coup, je sentis subitement monter en moi un appétit inopiné. Mon estomac nerveux émit des gargouillements sonores. « Excusez-moi », murmurai-je à mon voisin en me levant. « Excusez-moi s'il vous plaît, merci », chuchotai-je aux hommes et aux femmes assis plus loin sur la rangée que je quittais. « Dépêche-toi », me souffla ma faim. Je remontai la travée et sortis d'un pas rapide.

Après avoir grimpé plusieurs escaliers et enfilé les couloirs, j'arrivai au buffet du théâtre où les spectateurs venaient se sustenter et boire un verre au cours des pauses. Il débordait de pâtisseries grasses et alléchantes. J'avais de la chance : il n'y avait pas grand monde, seuls quelques clients me séparaient du présentoir. L'homme devant moi fouillait sa poche en quête de petite monnaie. Lorsqu'il s'approcha du comptoir et tourna son visage vers un clafoutis, je le reconnus instantanément : c'était le même personnage, grand, d'âge mûr, que j'avais repéré quelques heures plus tôt à l'entrée du théâtre, le bon premier de la file. La jeune serveuse posa une part de gâteau sur son assiette et lui versa une tasse de thé. L'arôme de la vapeur et de l'eau chaude couvrit quelques instants celui des graisses cuites. Il paya la serveuse après avoir bruyamment raclé ses fonds de poche. Il lui manquait deux kopecks. Je lui vins en aide, piochant les piécettes manquantes dans mon porte-monnaie, et une fois que j'eus reçu ma part de babka, il m'invita à m'asseoir à sa table.

« Ce n'est pas la première fois que mon porte-monnaie me joue des tours », dit-il alors que je prenais place en face de lui. Devant mon regard étonné, il compléta en guise d'explication : « J'ai trois adolescents à la maison. » Il semblait à peu près de l'âge du champion – cinquante ans environ.

Sur la table j'avisai, posé à côté de sa tasse, un petit carnet en cuir. La couverture indiquait que son propriétaire appartenait à un club sportif dénommé « Spartak ». Je lui demandai s'il rédigeait une lettre d'informations destinée aux membres de ce club, car je supposais que c'était dans le cadre d'une mission professionnelle qu'il assistait au championnat. La présence du calepin de cuir sur la table dénotait un sérieux certain.

Mais je faisais fausse route. Il répliqua nonchalamment que le calepin était réservé à son usage personnel. Il y consignait l'ensemble des coups des joueurs, alignés par colonnes nettes et symétriques, et ce afin de conserver un souvenir du match. Il était professeur, ajouta-t-il, au département d'échecs de l'université d'État de Moscou.

Professeur de théorie et de pratique des échecs. Il ne semblait pas beaucoup se soucier de savoir qui j'étais, ni ce que je faisais dans la vie. Il commença à m'expliquer son travail, un sujet de recherche après l'autre. Pendant qu'il parlait, je mordis dans mon gâteau pour apaiser ma faim et sentis le sucre me monter directement à la tête. Il disserta sur le dynamisme des pièces, l'évaluation des changements d'équilibre sur l'échiquier. La gestion du tempo d'une partie.

J'écoutai sans rien comprendre du jargon qu'il employait. Peut-être ne comprenait-il pas non plus. Sa dentition était gâtée.

«Koroguine», articula-t-il, ravivant mon attention. «Recherche, logique et calcul dans les parties de Maxim Koroguine.» C'était l'intitulé d'un congrès qu'il avait organisé avec son département à la fin de l'année précédente. Le champion du monde en avait été l'invité d'honneur. Il s'était adressé aux congressistes en ces termes (songeait-il alors à son futur adversaire?): «Le théoricien aura toujours un avantage sur le joueur pragmatique. Car quand le théoricien prend place devant l'échiquier, il ne se connaît pas seulement lui-même, il connaît aussi son adversaire à fond.» Le champion avait ajouté : «Le prochain match ne révèlera pas seulement l'identité du meilleur joueur. Il montrera quelle approche des échecs est la plus pertinente.» Le professeur citait les propos du champion avec lenteur et méticulosité, comme s'il les dégustait.

Je voulais savoir s'il avait eu l'occasion de s'entretenir avec Koroguine. J'étais curieux des confidences, des remarques qui pouvaient lui avoir échappé. Mais à peine avais-je posé la question qu'un rictus soudain de mon interlocuteur – visiblement contrarié – me la fit regretter. On ne devait approcher les champions d'échecs qu'à travers l'étude rigoureuse de leurs parties et des propos qu'ils avaient tenus en public, sans oublier les volumes d'analyses écrits par des étudiants ou d'autres universitaires, ceux-là mêmes que vomissaient les imprimeries à jet continu. Les parties, les textes, les analyses, voilà à quoi se résumait exclusivement le Koroguine de ce professeur. Et les propos du champion validaient, tels ceux d'un comparse aguerri, le personnage encensé par les spécialistes.

Il ne restait plus que nous, désormais, au buffet du théâtre. Même la serveuse officiant derrière le comptoir avait momentanément disparu. Et celui ou celle à qui incombait la tâche de révéler les progrès de la partie en cours par le truchement d'un vieil échiquier-témoin relégué dans un coin de la salle (aux cases agrémentées de crochets auxquels étaient suspendues des figurines en bois) accusait un retard de plusieurs coups. «Je ferais mieux de retourner voir la partie», fis-je en me levant. Mais le prof ne répondit pas. Il ramassa le petit calepin de cuir noir et en compulsa les pages. Il n'avait pas encore touché à la pâtisserie qui se languissait devant lui.

Vingt bonnes minutes étaient passées depuis mon départ de l'auditorium et la quatrième heure de la partie était maintenant bien avancée. Le champion comme le challenger commençaient à manquer de temps. Les Blancs et les Noirs étaient concentrés sur l'aile Roi. C'était à Gelb de jouer.

J'allai m'asseoir et contemplai l'échiquier géant à l'arrière-plan, puis le champion assis devant le modèle réduit, buvant une tasse de café tandis que le challenger arpentait la scène. Difficile de dire, à ce stade, qui menait et qui était mené. Après le brillant début de Gelb, ce simple constat valait semi-victoire pour Koroguine. Le challenger ne semblait plus avoir la complète maîtrise du sort de la partie. La nouvelle donne se lisait dans son enjouement un peu trop fébrile. Dans ses lacets de souliers, aussi, qui s'étaient dénoués à deux reprises alors qu'il marchait de long en large. Elle se trahit surtout dans les trente minutes qu'il lui fallut pour jouer son vingt-sixième coup. Une demi-heure! Cela lui ressemblait si peu. Je me demandai si le doute avait fini par avoir raison de son flair.

J'avais beau tenter de me persuader sans relâche que le challenger restait en excellente posture, les chances paraissant également réparties en ce milieu de partie, au fond de moi je n'en menais pas large. Les moindres détails s'ingéniaient à raviver mon anxiété : les sourcils froncés sur le visage des juges, les épaisses étoffes rouges tout autour de la scène chargées d'étouffer les sons, le premier rang investi par l'épouse du champion, sa fille et ses autres supporters. Il me semblait que tout, dans cette salle, visait à étouffer Gelb, à limiter sa liberté de mouvement, à annihiler sa bonne humeur.

Et pis encore, loin de lui redonner confiance, de la renforcer, je réalisai que l'écart de points conséquent engrangé par Gelb après la septième partie avait été pour lui source de distraction. Son jeu s'en était ressenti, trop souvent borné à tenter de préserver cet avantage : à trop regarder le score, le prétendant au titre en perdait de vue les positions sur l'échiquier. La confusion entre les deux Tours dans la huitième partie – quelle bêtise! Et ce style flottant, indécis, lors de la neuvième... Pour se reprendre et renouer avec son inspiration, finalement, il lui avait fallu perdre deux de ses trois points d'avance.

La limite des cinq heures approchait. Les deux adversaires enchaînèrent une rapide succession de coups. Les cases centrales connaissaient une vive effervescence. Koroguine jouait avec une grande sûreté de gestes : ses longs doigts blancs traçaient leur chemin dans le dédale des figurines, enveloppant telle Tour, ou telle autre. Il devait se dire, supposai-je, que sa victoire aux yeux de Gelb devenait inéluctable. Que la partie et le match tournaient décidément à l'avantage du champion en titre. Raison pour laquelle il avait cessé de transpirer. Raison pour laquelle, encore, lorsque le challenger tendit la main pour proposer un nul, il fit semblant de ne rien voir.

Mon voisin me demanda : « Vous savez sur quoi compte le champion, n'est-ce pas ? » Non, je l'ignorais. « Sur un ajournement de la partie. Il pense que s'il passe la nuit à analyser la position, il prendra le dessus. Et qui sait, il a peut-être raison. » J'acquiesçai. C'était bien possible, en effet. Le champion abritait plus d'idées dans un centimètre cube de son cerveau que la plupart des joueurs dans leur tête tout entière. « Cela dit, poursuivit mon voisin, il a pris un risque. Le score est serré. Gelb lui a offert un demi-point et il l'a refusé. Si la partie tourne mal pour lui demain, il regrettera ce demi-point. »

Koroguine, à la suite de Gelb, exécuta son quarantième coup avec une toute petite minute de réserve. Et à neuf heures pile, la partie fut reportée au lendemain. Cinq heures de jeu n'avaient pu départager les deux adversaires. Ce fut le premier ajournement du match.

Comme le stipulait le règlement, le coup suivant du challenger devait être inscrit sur deux feuilles de papier elles-mêmes glissées dans deux enveloppes scellées pour la nuit. On apporta donc à Gelb les deux feuilles et les deux enveloppes. La seconde enveloppe avait été exigée par Koroguine, sans doute pour limiter les risques de falsification (un meilleur coup se substituant à celui qui avait été initialement consigné) dans le cas où son dépositaire s'assoupirait, voire se laisserait corrompre... Gelb nota son déplacement du lendemain en deux exemplaires et remit aux deux juges les enveloppes cachetées. Le rideau tomba.

Dans la salle de presse, la réaction fut aussi surprenante qu'unanime : ce seraient Gelb et son entraîneur Koblents qui allaient passer la meilleure nuit. Car si le vent de la réussite, toujours capricieux, avait brièvement soufflé dans le dos du champion, les dernières joutes avaient gonflé les voiles du challenger et lui assuraient un avantage durable. Quant à savoir si cet avantage pourrait se changer en victoire, c'était un autre débat. Certains analystes voulaient le croire, tandis que pour d'autres, rien ne permettait de l'assurer. Tout dépendait de la façon dont on analysait la partie. Quelques-uns préférèrent garder leur opinion par-devers eux.

Je pris congé et regagnai le bureau où je travaillai sur mon article jusqu'au petit matin.

La partie reprit le lendemain à quatre heures. Elle se déroula au Club central d'échecs, 14, boulevard Gogolevsky. À l'arrière du bâtiment néo-Renaissance, une grande pièce silencieuse accueillait joueurs, entraîneurs et juges ; une pièce voisine était réservée aux journalistes ; le public n'avait pas été convié faute d'espace suffisant. La décoration intérieure surchargée, qui datait du milieu du XIXᵉ siècle, conférait à cette salle une atmosphère assez pittoresque. Les encadrements des portes et des fenêtres étaient cintrés et les murs pastel couverts de fleurs en stuc blanc. Des portraits de champions soviétiques ornaient les murs. Plusieurs fenêtres séparaient les photographies de Koroguine et de Gelb. La cheminée de marbre, au milieu de la pièce, ne fumait plus depuis longtemps. Des radiateurs peints en blanc se chargeaient du chauffage. Devant l'âtre, deux confortables sièges étaient séparés par une table sur laquelle avait été placé l'échiquier. Les figurines y occupaient leur position de la veille.

Plusieurs maîtres réunis dans la salle de presse avaient passé la nuit à scruter cette dernière configuration, s'évertuant à sonder ses ultimes complexités. Leurs dernières découvertes – trop tardives pour figurer dans la presse du matin, et qui nous furent livrées à titre confidentiel – confirmaient ce qu'on savait déjà : le challenger possédait un « avantage incontestable » et si l'on se projetait un peu, les perspectives de loin les plus aisées. Il était clair que l'avantage « durable » dont il avait été question la veille au soir s'était depuis lors considérablement renforcé à leurs yeux. Déliés des comptes rendus qu'ils avaient publiés, les journalistes se murmuraient maintenant l'un à l'autre : « Il faudra cinq à dix coups. On sera de retour au bureau dans l'heure. » Comme s'ils n'avaient jamais envisagé autre chose qu'une victoire finale de Gelb.

Moi, en tout cas, je n'en savais rien. Je n'avais pas passé la même soirée qu'eux. L'anxiété et la faim ressenties au théâtre m'avaient ôté toute lucidité. Elles m'avaient empêché de discerner clairement les atouts des Blancs comme les handicaps des Noirs, de sorte que maintenant, tiraillé entre toutes ces analyses, je ne savais plus trop quoi penser. J'avais d'abord été stupéfié (la situation m'avait semblé si serrée) puis soulagé (la forme du challenger n'était plus un point d'interrogation) et enfin un peu anesthésié sous l'effet de ces idées et émotions toutes neuves qu'il me fallait assimiler. Soudain je retrouvais l'excitation : une victoire de Gelb ferait de nouveau de lui le favori du match.

Si ses propres analyses, longuement mûries, rejoignaient celles des maîtres réunis en salle de presse, Koroguine n'en laissa rien paraître. Il pénétra dans la salle à quatre heures moins dix, arborant une expression indéchiffrable. Les poches sous ses yeux n'étaient ni plus grandes, ni plus enflées qu'à l'ordinaire. Sur son front la ride du lion n'était pas plus creusée. Rien ne laissait présager qu'il fût prêt à rendre les armes. Tout dépendait maintenant de l'attitude de Gelb qui jouerait cet après-midi-là. Serait-ce le Gelb des première, sixième et septième parties, ou celui des huitième et neuvième? La question trottait dans toutes les têtes. Je le trouvai fatigué quand je le vis prendre place face au champion.

Les juges, Stalberg le Suédois et Laughton l'Anglais, soumirent leurs enveloppes respectives à l'examen des joueurs. Aucun des sceaux n'avait été brisé. Les signatures au dos étaient incontestablement les leurs. Les enveloppes furent décachetées, les feuilles comparées, le coup noté la veille par le challenger annoncé. Mais un problème surgit alors. Le mouvement de Gelb, tel que l'annonça Laughton, était impossible: il amenait la Tour sur une case déjà occupée par l'autre Tour blanche. Gelb objecta que Laughton avait mal lu, que le 6 qu'il avait déchiffré était en réalité un 4. Sa Tour était censée rejoindre une case de la quatrième rangée, pas de la sixième.

Ayant moi-même reçu plusieurs missives ornées de l'écriture tarabiscotée du challenger, je compris la confusion de Laughton. Et puis Gelb avait noté son coup en toute hâte, sur deux feuilles de papier distinctes, en abritant son stylo de sa main libre pour masquer à son rival ce qu'il écrivait. Que son 4, dans ces circonstances, pût être confondu avec un 6 me semblait tout à fait plausible. Gelb n'était pas un tricheur, tout au plus un grand gamin. Il y avait pourtant une autre explication possible. Et si Gelb avait souhaité une telle ambiguïté? Une façon de tourner en ridicule, peut-être, l'exigence tatillonne de Koroguine, la seconde enveloppe scellée. Ou simplement une façon malicieuse de jouer avec les nerfs de son adversaire. On ne pouvait écarter cette éventualité.

Ce qui aurait dû représenter une simple formalité, la vérification des sceaux, l'ouverture des enveloppes, l'annonce et l'exécution du coup suivant, prit aussitôt une tournure dramatique : le champion était furieux. « Une règle est une règle ! », ne cessait-il de répéter aux juges, assez fort pour que tous les journalistes se trouvant dans la pièce voisine pussent l'entendre. La règle en question disait que si l'un des mouvements consignés dans l'enveloppe scellée s'avérait irrégulier ou illisible, son auteur avait partie perdue. Et Koroguine demandait, non, exigeait la victoire, pressant les juges de lui accorder l'intégralité d'un point qui lui revenait de droit... Je n'en croyais pas mes oreilles.

« Enfin, Maxim Ivanovitch ! Vous ne pouvez sérieusement attendre de moi que je mette fin à la partie parce qu'un 4 ressemble à un 6... Je... Je ne peux... quand même pas... dis... euh... disqualifier un joueur pour si peu ! » Laughton, qui avait épousé une charmante jeune femme originaire de Crimée, parlait un russe aussi clair que concis, teinté d'un discret accent anglais. On l'entendait rarement hésiter, chercher le mot juste, mais « disqualifier » n'appartient pas au vocabulaire usuel. Il l'avait sans doute appris à la lecture du règlement, juste avant le match.

Le regard du champion se tourna de nouveau vers l'échiquier. Retirant ses lunettes il se pinça l'arête du nez. Personne n'ajouta un seul mot. Le règlement, si longtemps son allié, avait lui aussi ses limites et tous voulaient connaître le dénouement du drame. Laughton, penché sur l'échiquier, posa la Tour blanche sur une case de la quatrième rangée et déclencha les pendules. Pour chaque heure de jeu, et ce jusqu'à la fin de la partie, le champion et le challenger devraient exécuter chacun seize coups au minimum. Le mouvement scellé par Gelb dans l'enveloppe était le meilleur, reconnurent les analystes. De sa nouvelle case sur la quatrième rangée, la Tour blanche exposait le champion à toute une série de subtiles menaces. Sur les défenses compactes des Noirs, le challenger augmentait la pression. Après quarante-deux minutes passées à darder sur l'échiquier des regards excédés, le champion répliqua. Il tendit la main vers la Dame noire, comme un homme qui saigne agrippe un pansement, et la déposa immédiatement à côté du Roi noir. Encore un coup de défense, qui me frappa par sa trop grande passivité. S'il ne prenait pas plus de risques pour essayer de neutraliser les Blancs, Koroguine verrait bientôt enfoncés ses derniers retranchements.

Cinq ou dix coups, avaient prédit les journalistes en salle de presse. Nous devions avoir regagné dans l'heure nos bureaux respectifs. La partie suivait encore son cours quand le challenger joua son onzième coup, à cinq heures moins le quart. Un mouvement qui ne lui prit, à l'instar des six précédents, que quelques secondes, et lui permit de totaliser deux pions de plus que le champion.

Un journaliste chuchota alors : «La victoire n'est plus qu'une affaire de technique.»

Mais le champion persévéra et, utilisant au mieux l'échiquier clairsemé, déplaça librement sa Dame noire d'une ligne d'attaque à une autre. Pendant sept coups consécutifs, du 53 au 59, le challenger dut replier son Roi pour le mettre à l'abri. Ce qui ne parut pas l'inquiéter. Il jouait rapidement, presque aussi vite qu'avec Koblents dans sa suite du Moskva. Il exécuta son soixantième déplacement à six heures, empourpré autant qu'imperturbable. D'autres coups suivirent, d'autres attaques contre le Roi blanc. Mais l'agressivité de Koroguine ne tarda pas à s'émousser. Après un total de soixante-douze coups, et presque huit heures passées devant l'échiquier, le champion n'eut plus d'autre choix que de capituler.

Pour ne pas laisser filtrer sa déception, il endossa tant bien que mal le rôle du bon perdant et lança froidement « bonne soirée » aux journalistes avant de quitter la salle.

Chapitre 12

L e match fut interrompu pour trois jours et la reprise fixée au 12 avril. Koroguine avait apparemment contracté un rhume (il « couvait une fièvre », selon la formule de Rudik, son assistant, au journaliste de la *Pravda* venu l'interroger). Quand le match reprit le mardi après-midi, les spectateurs du théâtre découvrirent que le champion avait chaussé son ancienne paire de lunettes. Il disputa la douzième partie avec une virtuosité et une vigueur intactes. Résultat : un nul et une seconde interruption, à la demande du challenger cette fois, qui avait besoin de deux jours pour récupérer.

Si les grands maîtres avaient décidé de faire une pause, les lettres de leurs supporters continuaient d'engorger les rédactions : elles arrivaient chaque jour au journal par sacs entiers. Me trouvant plus libre de mon temps, j'aidai à ouvrir les sacs et à trier ces lettres. J'en lisais certaines – les pas trop longues, les plus personnelles et les plus sincères – du début à la fin.

Pskov, le 9 avril
Cher camarade Koroguine,

je suis communiste depuis 1918 et j'ai perdu ma femme,
ma maison et ma jambe droite pour la cause de la vie
nouvelle. Jamais qui que ce soit ne m'a entendu proférer
la moindre plainte, si légère soit-elle.
Trois fois par semaine, j'allume mon poste de radio
et je me joins aux millions de gens qui vous acclament
dans toute notre Union. À chaque partie, mon cœur vole
vers vous. Quand vous avez remporté la neuvième,
j'ai pleuré par fierté envers ma nation.
Je n'avais pas pleuré ainsi depuis de nombreuses années.
Certaines des autres parties de ce match vous ont donné
du fil à retordre, je le sais. Mais ma confiance
dans votre destinée finale reste intacte car je connais
vos exceptionnelles capacités et les efforts que vous
consacrez à notre jeu, en vrai travailleur de choc.
Vous, le champion du peuple, êtes un combattant jusqu'à
la moelle.
 Avec mes Salutations fraternelles,

Travailleur Danilov, Stepan Fedorovitch,
membre du syndicat des transports fluviaux de Bobrovski,
employé dans les transports fluviaux de 1929 à ce jour.

Odessa, le 13 avril

Cher Champion du Monde,

N'ayant pu trouver votre adresse, je vous écris
par l'intermédiaire d'un journal national.
Mon nom est Oleg Podlioubny, j'ai quatorze ans.
Vous êtes un modèle pour moi. Je voudrais devenir
un adulte harmonieux comme vous, jouissant du plein
développement de ses facultés mentales et physiques.
Mais je ne sais comment atteindre cet objectif,
aucun de mes professeurs n'est capable de me le dire.
La paresse est mon plus grand défaut. Je me fixe
des buts mais je ne parviens pas à les atteindre.
Je me fixe une tâche et je passe à autre chose.
Mon journal est rempli de promesses non tenues
et d'exemples de temps perdu.
Moi, Oleg Podlioubny,
prends devant vous l'engagement de :
- lire au moins quinze pages par jour de livres
importants
- n'écouter que la musique de Mozart et de nos
propres compositeurs
- faire des longueurs dans la piscine de l'école
au moins deux fois par semaine
- étudier les échecs au moins deux heures par jour
après les cours

Respectueusement vôtre,
Oleg Podlioubny

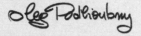

199

Rostov sur le Don, le 15 avri[l]

Cher Mikhail Nekhemievich,

Je viens de coucher mes deux petits et je vous écri[s]
cette lettre sur la table de la cuisine,
à vous que je n'ai jamais rencontré. Mais à travers
vos parties, comme à travers vos interviews et les
nombreuses photos parues dans la presse, j'ai en
quelque sorte l'impression que nous sommes amis.
Félicitations pour la qualité de votre jeu dans
le match jusqu'à présent. Ce ne doit pas être facile
d'affronter une légende comme Koroguine. Mais dès
le début j'ai eu l'intuition que votre sensibilité
l'emporterait. Vous ne ressemblez pas aux autres
grands maîtres.
S'il vous plaît profitez de vos jours de congé
pour vous reposer convenablement et laissez
votre imagination souffler. Ne jouez pas trop
aux échecs, vous n'en avez pas besoin.

Dans l'espoir que ces mots d'amical conseil vous
parviendront,
Mes vœux les meilleurs,
Raïssa Alexandrovna

PS : la petite mèche ci-joint est assez récente,
mais mes cheveux sont plus longs à présent.

Moscou, le 17 avril

Cher Grand Maître Gelb,

Mes amies et moi vous écoutons jouer
après avoir fini nos devoirs à la maison.
Pourquoi avez-vous, vous et le grand maître
Koroguine, conclu la treizième partie sur
un nul après seulement quinze minutes
de jeu ? Nous avons allumé le poste après
avoir rédigé notre exposé sur les molécules
mais il était déjà trop tard. La partie
était terminée. Que des commentaires ennuyeux...
Les spectateurs présents dans le théâtre
n'étaient-ils pas déçus ?
Je suis grande pour mes neuf ans. Mon
papa dit que j'ai toujours eu une tête faite
pour les échecs. Les garçons n'aiment pas
jouer contre moi. Quand ils perdent, leur visage
devient pâle et luisant et certains me traitent
de tous les noms. Moi, je les ignore. Jouer
me rend heureuse.
Bonne chance pour les parties qui vous restent
Salutations distinguées
Astrid Piip

La nullité de la treizième partie avait été prononcée après seulement seize coups. La fatigue mutuelle des grands maîtres avait abrégé la confrontation. De même que mon compte rendu. Entre deux articles, ayant besoin de changer d'air, j'arpentais les rues de la ville. Le ciel était d'un bleu immaculé.

Un changement d'air bienvenu après les journées passées enfermé au bureau, devant ces lettres qui empestaient la colle à poisson. Mais à dire vrai, ce n'était pas que pour m'évader que je sillonnais ainsi les rues du centre-ville. L'auteur de l'une des lettres, adressée à Koroguine et envoyée de Moscou, disait avoir vu le champion parcourir le quartier, à proximité de l'hôtel où séjournaient les joueurs. Il n'avait pas osé l'approcher : « Vous aviez l'air perdu dans vos pensées. » Postée le vendredi 15, jour de repos des joueurs, la lettre semblait à tous égards digne de foi, même si cette rencontre pouvait très bien avoir été inventée. C'est chose courante chez les lecteurs qui écrivent aux journaux. Il faut briller, se donner de l'importance, épater, fût-ce au prix d'un mensonge. On ne pouvait ignorer cette éventualité. Ni oublier le fait que de nombreux sosies, plus ou moins ressemblants, pouvaient être confondus, effet de l'excitation ou de l'autosuggestion, avec leurs modèles célèbres. Pourtant je croyais, ou voulais croire, en divaguant dans les rues du quartier, à l'apparition impromptue du champion du monde.

Mais pourquoi donc Koroguine, si c'était bien de lui qu'il s'agissait, arpentait-il ainsi le centre-ville au milieu de l'après-midi ? Une promenade hygiénique pour se sortir le match de la tête ? Peu probable. Il ne cessait sans doute jamais de penser au match, où qu'il allât et quoi qu'il fît. Sans doute le champion marchait-il afin d'entretenir sa bonne forme physique et pour que son corps coopère au mieux avec son esprit. Pour un long match, il faut de l'endurance. Et de toute évidence, il lui importait peu de savoir si les badauds le prendraient pour Koroguine ou tel sosie particulièrement ressemblant, pas plus que d'être dévisagé à l'occasion, ou de sentir qu'on tournait timidement la tête sur son passage. Personne n'oserait l'arrêter, risquer de le déranger dans ses pensées. Ça ne se faisait tout simplement pas.

C'était l'un des hommes les plus célèbres d'URSS, célèbre depuis plus de vingt ans et pourtant on en savait si peu sur lui… Dans ses interviews, qui se réduisaient pour la plupart à quelques citations montées en entretien, il se montrait fort avare de confidences personnelles. Sa gaucherie teintée de défiance empêchait systématiquement toute révélation. Il était vain d'espérer trouver un nouvel angle pour narrer son histoire. Tenus au secret, ses assistants, qu'il remplaçait après chaque match, auraient été bien incapables de remplir les blancs. Son épouse et sa fille se gardaient, elles aussi, de desserrer les lèvres. De sorte que les interviews, privées de souvenirs et d'anecdotes, égrenaient invariablement une morne litanie de faits archi-connus : le père qui avait été dentiste (et dont le fils avait hérité les longues mains fines) ; le mariage avec la fille de son ex-professeur de géométrie ; le titre ronflant de sa thèse de doctorat en ingénierie : *L'influence des fluctuations de l'excitation sur la vibration du rotor d'une machine synchrone* ; le récapitulatif de ses victoires en tournoi, parsemé de fautes d'impression, étalé sur plusieurs décennies et réduit à une stricte succession de dates et de lieux. C'était tout.

À croire que les échecs permettaient surtout d'accumuler les titres et ainsi d'étoffer la maigre biographie du joueur. Il était rare, dans ces articles, que la beauté ou l'imagination, par exemple, fussent évoquées. Mais il était impossible de dire où finissait le point de vue du journaliste, et où commençait celui du champion.

En ces après-midi de la mi-avril, les rues de Moscou étaient noires de monde. C'étaient de belles heures ensoleillées, fraîches et scintillantes. Le mercure grimpait. Partout neige et glace reculaient et le ciment reprenait ses droits. Des mois de résidus amassés refaisaient peu à peu surface : piécettes éparses, mégots, mitaines égarées et rongées par la neige, boutons, bouchons, confettis de tickets de métro usagés, insignes rouillés, papiers d'emballage en cellophane. À quoi s'ajoutaient sur les visages de plus larges sourires, des expressions moins soucieuses et des conversations animées à tous les coins de rue. Mais aucun de ces visages ne ressemblait à celui de Koroguine.

Je remontai la rue Gorki. Sourcils froncés, tout de bronze luisant, Lénine surplombait la place. Son costume deux pièces aux drapés de bronze n'était pas moucheté de neige blanche. Le crâne chauve, plus chauve et plus petit que celui de Koroguine, était dénudé. Du moins à première vue. Je jetai un nouveau regard quelques secondes plus tard : les pigeons lui avaient fait une crête iroquoise.

Car rue Ogariova, les pigeons bisets étaient d'humeur taquine. Ils roucoulaient, se pavanaient et donnaient des coups de bec dans la neige à moitié fondue du trottoir. Ils battirent des ailes à mon approche et il me sembla les voir picorer des miettes de pain et des grains de maïs. Les plus décharnés d'entre eux, affamés, étaient perchés sur les rebords de fenêtres et les marches tout autour. Pour eux aussi l'hiver avait été rude.

Dix ans plus tôt, alors que je vivais encore à Leningrad, j'avais situé l'une de mes toutes premières nouvelles rue Ogariova. Tous les Léningradois connaissaient la capitale, ses bâtiments et ses monuments. Pour ma part, je n'y étais jamais venu en personne, seulement par livres interposés. Le décor de mon histoire était emprunté à une page d'*Anna Karénine*. La ruelle Gazetny – puisque tel était le nom que portait la rue Ogariova avant la Révolution, un nom datant de l'époque de Tolstoï : ce nom seul m'avait séduit, tout comme l'époux désorienté d'Anna qui se laisse séduire par la foule des calèches et traîneaux de louage qu'il découvre et entend lors de son séjour à Moscou. (Dans ma propre version, moderne, de la rue, il n'y avait ni traîneaux, ni calèches ; les moteurs, les pots d'échappement et les plaques d'immatriculation les avaient supplantés depuis longtemps.) Je réalisai bien plus tard, en m'installant à Moscou, que, dans mon histoire, la rue était trop large, tout comme les ruelles avoisinantes, indûment étirées en longueur. Les deux rues, la réelle et la dépeinte, ne se ressemblaient guère. Sans doute, pendant toutes ces années, après avoir relu Tolstoï, avais-je projeté sa puissance romanesque sur la rue décrite et le résultat était-il trop grand pour une nouvelle. Aujourd'hui encore j'éprouve quand j'y passe un étrange sentiment.

Or c'est justement dans cette même rue Ogariova, le 19 en fin de matinée, sous un ciel chargé de nuages, que le champion apparut soudain.

Imperméable gris cendré, chapeau de feutre, cartable en cuir brun. En se dirigeant vers le bout de la rue, il fit s'envoler une nuée de pigeons. Debout sur le trottoir d'en face, bousculé par les passants, j'hésitai une fraction de seconde. Mais l'envie de le suivre fut la plus forte. Je traversai brusquement pour le rattraper sous les klaxons réprobateurs des automobilistes. Il marchait rapidement, au pas d'un homme qui se rend à un rendez-vous, et je dus presque trottiner pour ne pas le perdre de vue. La pente de la rue se fit assez raide et je respirai plus difficilement. Je m'arrêtai un instant pour reprendre mon souffle. Lorsque je levai de nouveau la tête, trois ou quatre secondes plus tard, il avait disparu. Nom d'un chien! Où était-il passé? Je perdis le plus clair de l'heure suivante à le chercher. Et plus je le cherchais, plus je m'interrogeais sur la pertinence de cette traque. Ma conscience me taraudait. Après tout Koroguine avait droit, comme tout un chacun, au respect de sa vie privée. De quel droit me permettais-je de l'espionner?

Il devait être midi lorsque son chapeau mou réapparut au milieu d'une foule de chapkas. Le champion me tournait le dos, attendant de traverser à un coin de rue très fréquenté. Avec le flux des bus, des camionnettes et des voitures, la chaussée devenait un patchwork de rouge, de bleu, de vert et de blanc. À intervalles réguliers, la circulation s'éclaircissant, les chapkas fonçaient d'un trottoir à l'autre tandis que Koroguine, hésitant sous son feutre mou, restait immobile au bord du trottoir. Il jaugeait attentivement la phalange de voitures qui s'avançaient vers lui, leurs pare-brise aussi nuageux que le ciel. Des véhicules de toutes marques – Pobeda de grand-père, Volga beiges, parfois une luxueuse Tchaïka – vrombissaient en passant. Une minute, deux minutes. Koroguine restait aux aguets.

D'autres toques de fourrure, debout sur le trottoir tout contre Koroguine, traversaient prestement dès que la circulation le permettait. De l'autre côté de la route, des chapkas traversant en sens inverse esquivaient elles aussi chapkas et véhicules, frôlaient le champion et poursuivaient leur chemin. J'étais bien le seul à prêter un tant soit peu attention au retardataire collé à sa serviette. Je le regardais, immobile à quelques mètres de moi, complètement absorbé dans la contemplation du frénétique enchevêtrement de chapeaux et de voitures. Les klaxons tonitruants ne lui faisaient pas tourner la tête d'un poil. Il fallut attendre encore quelques minutes que le trafic ralentît assez pour le voir sortir enfin de sa fixité. Et une fois encore, la curiosité me lança sur ses traces.

Je suivis le chapeau de feutre qui slalomait de rue en rue, tournant à gauche pour aussitôt obliquer à droite et *vice versa*. Cette promenade en zigzag m'intriguait au plus haut point. Puis, peu avant le virage qui mène au parc de l'Étang des Pionniers, le chapeau s'étant arrêté, je me cachai assez maladroitement derrière un lampadaire. Le champion poursuivit son chemin tout droit à travers le parc, sans jeter un regard alentour. Un moment, je crus qu'il désirait s'asseoir et se reposer sur l'un des bancs de bois mais il en longea la lisière. Une brise faisait onduler la surface argentée de l'étang.

Du parc on débouchait dans la rue Malaya Bronnaya. Au coin de celle-ci se dressait une maison rouge, et c'est à cet endroit que je perdis de vue Koroguine pour la deuxième fois. La traque ne menait à rien. Fatigué, les jambes douloureuses, je fus tenté de m'asseoir sur un banc. Ne rien faire d'autre que regarder l'étang et les vieilles femmes qui y jetaient des morceaux de pain, comme pour le nourrir. Mais j'avais déjà perdu trop de temps. Il fallait revenir aux choses sérieuses : une réunion au bureau m'attendait.

«Regardez-moi s'il vous plaît, jeune homme», fit une voix masculine. Elle trahissait l'âge mur, et une placidité sous laquelle filtrait, dans les silences un peu trop longs qui séparaient chaque mot, une colère rentrée.

Je me retournai et fis face au champion. Il n'était pas plus grand que moi. Je devinai ses lunettes sous l'ombre portée de son chapeau. La serviette dans sa main gantée était lourde d'on ne savait quoi. Un arôme de café fort flottait autour de lui. La moitié inférieure de son visage, seule visible, ne m'apprit rien sur ses intentions.

«Vous me suiviez, commença-t-il.

– Non, mentis-je. La réponse m'avait échappé. Je ne savais que dire.

– Vous me suiviez, répéta-t-il du même ton placide. Pourquoi? Qui êtes-vous? Que voulez-vous?»

Je m'efforçai de ne pas paniquer et de me donner une contenance. Quelques excuses possibles me traversèrent l'esprit: «Je vous avais pris pour un oncle» ou «Votre chapeau, je voulais savoir où vous aviez acheté votre chapeau» ou bien encore «Moi, vous suivre? Mais pas du tout! Je me promenais, tout simplement.» Voire «pardonnez-moi, Monsieur Koroguine. Je suis un écrivain qui dois rédiger une série d'articles sur le match. Je me demandais si vous accepteriez de faire quelques confidences à nos lecteurs».

Or je ne répondis rien de tout cela. J'étais du reste incapable de former la moindre phrase. Sous le coup de la surprise et de l'embarras, je fus incapable d'articuler un mot de plus.

«Eh bien? Dépêchez-vous, je n'ai pas que ça à faire!» Il transpirait l'animosité et la suspicion.

«Je suis désolé, croassai-je.

– Si c'est un autographe que vous voulez, vous perdez votre temps.

– Non. Oui. Non. Je crois que j'espérais pouvoir obtenir une interview. Où vous vous confieriez vraiment. Un portrait en mots. Je suis écrivain, voyez-vous…»

De sa main libre, il me fit signe qu'il en avait assez entendu, secoua la tête, fit demi-tour et partit à grands pas.

«A-a-attendez!»

Je regardai le dos du champion s'éloigner, rapetisser et finalement disparaître.

L'homme que je viens d'avoir en face de moi n'a rien d'un défaitiste, me dis-je. Il semble résolu à lutter jusqu'au dernier pion.

Le trottoir se piqueta de taches noires qui se multipliaient en s'élargissant rapidement. Une averse. Je gagnai la station de métro sous la pluie de printemps.

Chapitre 13

Nouvelle partie, nouveau nul. Koroguine et Gelb ne disputaient la quatorzième partie que depuis deux heures lorsqu'ils décidèrent d'en rester là. Le challenger menait 8-6.

Dans un match, un nul est plus intéressant pour le joueur qui mène, c'est un lieu commun du journalisme d'échecs. Chaque demi-point ainsi récolté rapprochait un peu plus Gelb du titre. Mais certains commentateurs avaient une autre théorie sur cette soudaine série de nuls. Ils soulignaient que Koroguine avait cessé de les refuser. Au contraire, face à un adversaire de près de trente ans son cadet, le champion, en acceptant, s'accordait l'occasion d'échapper un moment aux centaines de visages crispés qui l'épiaient depuis le grand auditorium. Autant d'énergie et de temps qu'il pourrait employer à préparer la défaite de son adversaire. Il espérait sans doute qu'une succession de parties brèves pousserait Gelb à faire preuve de désinvolture, voire d'inattention. Alors seulement, il dévoilerait ses stratégies les plus agressives et les plus meurtrières. Le meilleur pour la fin.

Mais cela, c'était la théorie. Spectateurs et journalistes, qui se sentaient floués par ces parties sans vainqueur ni perdant, exprimèrent leur dépit. Avec deux points de retard, le champion refusait de lutter, grognaient-ils. Pas même l'ombre d'un combat ! Et Gelb ? Où était passée l'audace du jeune maître ? Sa flamme ? Ils ne parvenaient pas à comprendre l'abrupte conversion du challenger à l'humilité.

Afin d'apaiser les frustrations des spectateurs, les organisateurs du match avaient programmé de quoi les occuper : une partie simultanée entre l'un des grands maîtres de la salle de presse et un groupe de journalistes prit ainsi place sur scène peu après la chute du rideau. Valentina Belova, détentrice du titre national féminin, avait accepté d'affronter la douzaine de reporters présents.

N'ayant pas réussi, faute d'arguments convaincants, à me défiler, j'en étais moi aussi. Avec une seule préoccupation : éviter une bourde embarrassante. Et puis j'avais mon amour-propre à préserver. En pénétrant dans la grande salle avec les autres journalistes, je sentis rivés sur nous les regards du public. Ce public qui allait nous seconder, murmurer ses conseils. Mais qui ne prendrait pas sa part d'une cinglante défaite. Je réfléchis à l'ouverture. Belova jouerait avec les Blancs dans toutes les parties : dans les simultanées, l'usage était en effet de laisser aux maîtres le privilège de l'ouverture. Comment allais-je répondre, avec les Noirs ? Je cherchais dans mes souvenirs quelque idée honorable, une amorce de plan, de stratégie, mais rien ne venait. Le manque d'entraînement se faisait cruellement sentir.

Le grand maître Valentina Belova était une femme d'environ quarante ans, au large visage orné de cheveux bruns bouclés qui tire-bouchonnaient dans tous les sens. Elle regarda d'un air de conspirateur la douzaine d'échiquiers et les joueurs qui lui faisaient front. Le niveau de certains de mes confrères, du reste, rivalisait parfois avec celui d'un maître. Quand son regard croisa le mien, la championne sourit comme pour me signifier : « Détends-toi, je ne serai pas trop dure avec toi. » Mais ses yeux ne souriaient pas. On n'y lisait aucune légèreté. Ils brûlaient d'une anxiété de performance qui me stupéfia.

Les exhibitions de ce genre, dans les clubs, les écoles ou les usines, remplissaient l'emploi du temps d'un maître soviétique d'échecs ; il avait pour mission « d'apporter les échecs aux masses », sans recourir aux gadgets utilisés par les Américains, bandeaux et autres colifichets. Disputer une partie, jouer aux échecs, constituait déjà un spectacle bien suffisant.

Le plus souvent, un jour ordinaire, le grand maître Belova affrontait une trentaine d'amateurs – un chiffre qui pouvait atteindre cinquante. Dans la grande salle, nous n'étions ce jour-là qu'une douzaine de plumitifs, mais l'angoisse de performance du maître était tout aussi forte.

Le correspondant du *New York Times* s'assit à côté de moi. Aux États-Unis c'est quelqu'un, m'avait-on dit de lui, comme si cela suffisait à résumer le personnage. Son père appartenait au gratin de la ville. Sa mère et son frère aîné aussi. Il avait un nom à défendre. Et peu après son entrée dans le journal, il avait publié un ouvrage intitulé *Les Secrets de la réussite enseignés par les échecs* : le jeu s'y voyait ramené à un ensemble de « schémas mentaux » et de qualités telles que l'anticipation, la persévérance, la prise de risque, censées mener l'heureux détenteur de l'ouvrage « sur la voie du succès ». Les ventes records du livre avaient fait de lui un homme riche, c'est-à-dire plus riche encore, riche de son propre fait. Elles l'avaient aussi qualifié – selon une logique typiquement new-yorkaise – pour être dépêché à Moscou et livrer au public les sentiments que lui inspirerait le championnat du monde.

Ses échecs? Comme son russe, il les avait picorés çà et là au hasard de ses lectures. C'est du moins l'impression que me donna sa façon de jouer contre Madame Belova. Quand il ne copiait pas les coups du journaliste installé à sa gauche, il se contentait de déplacements vagues et évasifs. Son style, en un mot, était indigeste. Sans doute, comme son russe, pouvait-il passer, dans un gratte-ciel new-yorkais, pour impressionnant, un rien fantasque – une preuve définitive de personnalité. Dans ce théâtre moscovite il suggérait absolument l'inverse. Les déplacements de pièces, regroupées au petit bonheur, sans réflexion ni intuition, trahissaient la paresse d'une existence par procuration, aimantée par le magnétisme du nom, ce nom qui poussait ses compatriotes américains à lire ses articles et à acheter son livre. L'homme se fichait pas mal des échecs.

«Votre Fou n'a rien à faire là. Déplacez-le de deux cases», chuchota l'un des spectateurs qui avaient pu monter sur scène pour s'agglutiner derrière les joueurs.

«Sa Dame. Gardez-la à l'œil. Dangereuse, très dangereuse», fit un autre.

Un troisième s'approcha de son oreille droite et lui souffla : «Débarrassez-vous de votre pion, sur le bord, là, échangez-le contre l'un des siens. Sinon vous allez passer votre temps à le défendre jusqu'à la fin de la partie.»

L'Américain ne leur prêtait aucune attention. Mais peut-être ne les comprenait-il pas?

Madame Belova, elle non plus, ne semblait pas entendre les murmures du public. Ces bavardages faisaient partie des inconvénients du métier ; depuis le temps qu'elle disputait ces parties en public, elle avait entendu bien pis. Indifférente au bruit, elle restait parfaitement concentrée, passant d'un échiquier à l'autre, déplaçant bruyamment une pièce après quelques instants de concentration. Parfois, avant de jouer, elle jetait un coup d'œil au visage de son adversaire comme pour sonder ses ambitions. Nul ? Défaite honorable ? Victoire ? Elle modulait sa stratégie en fonction de ce qu'elle y lisait. Avec certains visages, l'examen s'avérait plus délicat. Mais de tels regards, comme un raccourci mental, pouvaient être utiles à celle qui ne disposait que d'une fraction du temps concédé à ses adversaires (une minute par journaliste contre cinq secondes de réflexion pour elle). Ses sourcils se relevaient, ses ongles vernis fondaient sur l'échiquier et la robe à imprimé fleuri passait à la table suivante.

Dans ma tête se bousculaient deux angoisses précises : jamais je ne parviendrais à redresser une situation compromise, ni à distinguer un bon coup d'un mauvais. Pas le temps de faire le tri. Mes artères battaient à mes tempes. Petit à petit, j'érigeai une longue barrière de pions chargés de protéger mes forces. Et le sort me donna un coup de pouce : maître Belova loupa un développement prometteur, un mouvement qui aurait pu promptement décimer mes fantassins. Dès lors, la position devint rapidement indécidable et quelques minutes plus tard, après une répétition de coups, nous tombâmes d'accord pour un nul. Ce fut l'un des trois nuls de ce match-exhibition. À trois tables de moi, le plus fort des journalistes-joueurs, Erős, du magazine hongrois *64*, accrocha la seule victoire du lot.

Le front en sueur plaqué contre ses mains, la chemise tendue par des bourrelets naissants, l'Américain fut le dernier à s'avouer vaincu. Cela faisait déjà une bonne demi-heure qu'il n'avait plus la moindre chance de gagner.

Ensuite, Madame Belova raconta aux journalistes et aux spectateurs son match-exhibition le plus mémorable entre tous. Il s'était déroulé à Tachkent deux ans plus tôt. Un gamin ouzbek âgé de sept ou huit ans au plus, si petit que les figurines masquaient à moitié son visage, lui avait opposé une brillante résistance. Au point que le maître, divisant son temps de réflexion entre l'échiquier du gamin et une vingtaine d'autres, avait dû consacrer de longues minutes à empêcher ses propres positions de s'effondrer. Suspectant une aide extérieure – sous forme d'un souffleur particulièrement habile – et instruite de l'acuité auditive dont jouissent certains enfants, elle avait inspecté les parages, portant son regard au-delà des frêles épaules de son compétiteur. Sans découvrir la moindre preuve qu'il avait été manipulé par qui que ce fût.

Et puis ses déplacements, certes précis, révélaient un état d'esprit enfantin, une naïveté typique. Maître Belova lui avait proposé un nul que le petit garçon, après s'être redressé puis de nouveau accroupi sur sa chaise, genoux dénudés, avait accepté à contrecœur, comme on obéit à un parent. Elle nous confia, en quelques mots, que s'il avait refusé et continué à jouer, cet enfant aurait très bien pu l'emporter. Une transcription de la partie, notée de mémoire, avait été envoyée aux journaux locaux aux fins de publication. L'histoire s'était ensuite frayé un chemin, sans qu'elle sût comment, jusqu'aux oreilles du champion du monde : Koroguine, ou une personne de son entourage, avait télégraphié au journal, en demandant un compte rendu plus détaillé. Quelque chose, dans la fraîcheur juvénile du jeu, avait attiré l'œil du champion. Madame Belova n'avait pas eu, depuis, l'occasion de retourner dans la république ouzbèke. Elle ignorait ce qu'était devenu le gamin.

Chaque semaine, on collectait des transcriptions de parties disputées dans toute l'URSS, y compris ses recoins les plus éloignés, et l'on en faisait parvenir une sélection à Koroguine.

Chapitre 14

« Passez à l'hôtel dimanche, disons à trois heures », notifiait le message qui m'attendait à mon bureau. Signé Gelb. « Ça me fera plaisir de vous revoir. » Le vendredi 22 avril coïncidait avec le 90ᵉ anniversaire de la naissance de Lénine. Dans la ville, ce dimanche-là, une journée lumineuse et ventée, les habitants de la capitale assurèrent par centaines de milliers son traditionnel grand nettoyage de printemps. Munis des balais distribués par les autorités, ils rejoignirent les rues, les places, les boulevards, aux postes qui leur avaient été assignés et passèrent de longues heures à travailler. Tous les détritus oubliés par l'hiver furent enfournés dans des sacs, les couches accumulées de crasse, de boue et de saletés diverses délogées des rebords de trottoir, des encoignures et du pied des immeubles. Des tuyaux d'arrosage bosselés crachaient une eau mousseuse qui aspergeait murs et béton d'une écume blanchâtre. Dans les parcs, hommes et femmes armés de bêches repiquaient de jeunes plants d'érables, d'aubépines ou de rosiers. Bancs et lampadaires se voyaient appliquer une nouvelle couche de peinture, grise ou marron. Dans tout Moscou, après ce décrassage en profondeur – savon et eau, savon et eau –, le petit peuple des statues de la ville resplendissait comme au premier jour.

J'avais passé la matinée avec ma femme dans la cour intérieure de l'immeuble, à tout récurer à fond avec les voisins. La perspective de retrouver Gelb – notre dernière rencontre remontait à quatre semaines –, de discuter de la partie, de Koroguine et de la dernière phase du match, me rendait cette corvée plus légère. Le moment du départ, soit quatorze heures, arriva plus tôt qu'à l'ordinaire, enfin c'est ce qu'il me sembla. L'un de mes jeunes voisins me déposa à l'hôtel en voiture.

« Vous avez suivi la partie à la radio, hier ? », me demanda mon chauffeur. Il était nouveau dans la résidence, affable, désireux d'engager la conversation, mais l'heure n'était pas aux présentations. Je répondis que oui. Sous pression pendant l'essentiel de la partie, Gelb avait réussi à reprendre la main au bout de quarante coups. « Encore un nul ! C'est le cinquième d'affilée. » Les parties nulles avaient beau être longues, rudes et de plus en plus disputées, elles le contrariaient. « Si Gelb tient vraiment à remporter le match, il ferait bien de s'accrocher un peu, dit-il. Parce que si c'est le vieux qui gagne la prochaine, il ne sera plus qu'à un point (le challenger menait 9-7 après seize parties : quatre victoires pour Gelb, deux pour le champion, entrecoupées de dix nuls).

Il enfonça l'accélérateur.

Je n'eus aucune difficulté avec le personnel de l'hôtel, au contraire de ma précédente visite, et quelques minutes après mon arrivée, me retrouvai comme par magie devant la porte de Gelb. C'est d'ailleurs lui qui m'ouvrit et me fit entrer. Dina et les Koblents, qui avaient participé sans lui au nettoyage de printemps, n'étaient pas encore rentrés. « Venez vous asseoir. Ici, c'est parfait. » Il ne m'offrit ni thé ni rien de plus fort et alla dans sa chambre chercher la cigarette qu'il venait d'allumer. Quand il revint avec le cendrier, je lui dis : « Sacrée partie, celle d'hier. Vous vous en êtes bien tiré, malgré tout. » Puis, après une pause : « Vous ne croyez pas que vous devriez demander le report de la dix-septième ? »

En salle de presse j'avais entendu parler de ces kilos perdus par les maîtres lors des longues compétitions, sous le seul effet de la tension du jeu. Mais il ne s'agissait que de ouï-dire et je les tenais pour autant d'exagérations. À cet instant, en présence de Gelb, je compris que ces histoires étaient tout à fait vraies. En l'espace d'un mois sa maigreur s'était encore accentuée et il me semblait également plus pâle et plus maladif. Ses pommettes saillaient, la lueur dans ses yeux bruns avait disparu. Il les ferma, inspira une bouffée de sa cigarette et secoua la tête.

« Non, fit-il en soufflant. Je ne veux pas que le match traîne en longueur. Plus tôt je pourrai rentrer à Riga, mieux ça vaudra. »

Cela faisait maintenant six semaines que champion et challenger en décousaient. C'était long, cette débauche de coups face au même adversaire, encore, encore et encore. Le mal du pays de Gelb était bien prévisible. Loin de sa maison, de sa famille, de ses amis il n'avait pas l'expérience d'un Koroguine en matière de matches interminables. Il s'était retrouvé coincé, tel un reclus volontaire, dans cet hôtel où il s'ennuyait copieusement et le mot « Riga » avait pris pour lui une nouvelle résonance. Je n'aurais pas été surpris que son enthousiasme pour le jeu eût commencé à refluer.

Mais rien de tel, pourtant. « Que diriez-vous d'une petite partie vite fait ? » Son ardeur restait intacte. Peut-être ma pseudo-réussite avec Mme Belova me poussa-t-elle à sauter le pas, je n'eus pas le cœur de dire non. Dans son bureau, assis devant l'échiquier, nous jouâmes une demi-douzaine de parties rapides. «Vous y mettez trop de volonté», commenta Gelb en allumant une nouvelle cigarette. «Vous savez ce que dit le grand Bronstein? Il explique que si l'on considère l'extrême simplicité des déplacements des différentes pièces, jouer ne présente aucune difficulté. Il suffit de suivre la logique, de débarrasser sa tête des habitudes et des idées fixes et de jouer. Jouer, c'est tout. Les échecs ne sont pas compliqués, c'est nous qui les rendons compliqués.» Il était plus détendu, maintenant. Un filet de fumée bleuâtre se déroulait au-dessus de sa cigarette. «Je m'inclus moi-même dans le "nous" de Bronstein. Et la partie d'hier est un bon exemple. Je me sentais dans un drôle d'état. La configuration de l'échiquier était pourtant habituelle, globalement symétrique, le tout début d'un milieu de partie, mais d'un seul coup j'ai été persuadé que j'allais perdre. Mat en quatre coups, rien que ça... Battu en moins de vingt coups. J'ai été pris de panique: minute après minute, j'attendais ces coups fatidiques. Qui ne venaient pas. Ces développements qui m'avaient terrifié, dont j'avais été tellement convaincu de l'imminence, je compris alors qu'en fait ils étaient absurdes, impossibles. Ma perception des pièces, jusqu'à leur couleur, était complètement embrouillée, comme par une illusion d'optique. C'est ce qui arrive quand on ne garde pas l'esprit clair.»

Sur sa boîte d'allumettes l'étiquette proclamait: *Un aspirateur et la vie devient plus simple: dites adieu à la poussière et à la saleté!*

Je lui demandai alors: «Ce genre de chose vous était-il déjà arrivé en cours de partie, par le passé?»

Derrière le voile de fumée, il replaça ses pièces sur leurs cases de départ. «Pas tout à fait. Mais parfois, dans une partie, j'ai l'impression d'avoir déjà vu telle ou telle position sur l'échiquier auparavant. Ça tient à un petit quelque chose dans la disposition des pièces, ou l'enchaînement des coups. Et soudain, je comprends que je les ai vus en rêve.»

«En rêve?, répétai-je, interloqué.

– Oui, la nuit je rêve souvent d'échecs. Mais ce n'est pas comme si je jouais vraiment, vous savez, le stress et la pression... Non, là, ce n'est pas stressant du tout. C'est assez reposant en fait.

– Je ne comprends pas. Vous me dites que vous voyez les pièces se déplacer sur l'échiquier dans votre tête pendant que vous dormez? C'est bien ce que vous êtes en train de me dire?

– Que je vois les pièces se déplacer? Eh bien en un sens, oui, je suppose. On pourrait le dire comme ça. Mais je ne vois pas les pièces en tant que telles, je veux dire que je ne vois pas leur forme ou leur matière. C'est plutôt de l'ordre d'une sensation. Une sensation de Dame, une sensation de Roi ou un frisson de Cavalier...»

Je l'interrompis, impatient d'obtenir des détails. Je lui demandai de décrire la Dame.

«Un point. Une lueur. Ça ira? Je ne peux pas le traduire en mots. Ni en couleurs d'ailleurs. Ce n'est ni noir ni blanc.»

Cela signifiait-il qu'il n'y avait personne en face dans ses rêves? Pas d'adversaire?

«Il y a des camps, des camps opposés et ils se répondent. Mais pas d'adversaire. Je ne me vois pas non plus. Il n'y a pas de moi. Ni mon visage, ni mon corps, en tout cas. Mon mental ou mon esprit. Je suis participant et spectateur, les deux à la fois. Comment je l'explique? Les coups de part et d'autre sont bien les miens, l'invention vient de mon cerveau, mais je ne peux les contrôler. Ils surgissent avec la spontanéité de notes de musique. Et les sensations que j'éprouve composent une partie comme les notes composent une partition. Le matin suivant, je me souviens et je rejoue les coups sur un jeu de poche. Et parfois, dans un tournoi ou dans une partie avec Koblents, je me dis : "Je connais cette position. Je l'ai rêvée avant." Mais bien sûr, la partie ne se déroule jamais exactement comme dans mon rêve. »

Intrigué, je lui demandai s'il pouvait me montrer sur un échiquier l'une de ses parties rêvées. Laquelle ? N'importe laquelle. Jouant les deux camps, il me montra une partie qu'il me dit avoir rêvée peu de temps avant le match. Dommage que cette séquence ne se fût pas présentée pendant la rencontre : elle était remarquable, digne de n'importe quel championnat du monde. Une miniature : les Noirs font mat dès le dix-neuvième coup. La Dame noire si vivace, si agile. Gelb rejoua les coups une deuxième fois, comme si lui-même ne parvenait pas à y croire tout à fait.

Peut-être était-ce l'effet des nuages de fumée languissants qui emplissaient la pièce, en tout cas j'étais possédé par la qualité chimérique de la partie. Je ne parvenais pas à détacher mes yeux de l'échiquier. D'où provenaient ces coups ?, me demandai-je. Il était endormi, les paupières closes, les doigts inertes, et pourtant la partie avait bel et bien eu lieu. Une signification s'était exprimée.

Ce rêve était l'un de ses préférés, reconnut-il. Tous ne se terminaient pas aussi élégamment. Et parfois, à son réveil, la partie s'évaporait avant qu'il eût réussi à la rejouer sur l'échiquier. Aucun effort de mémoire ne pouvait alors plus la ressusciter.

La conversation revint à Koroguine et au championnat, mais Gelb préférait de toute évidence reporter ce genre de pensée au moment où le match reprendrait. Il tira une longue goulée de sa cigarette et me dit brusquement : «Oh, mais j'oublie tous mes devoirs! Tous ces bavardages et rien pour vous désaltérer : qu'aimeriez-vous boire ? Il doit bien y avoir un peu de ce drôle de thé anglais quelque part, à moins que vous n'ayez envie de quelque chose de plus corsé. »

Avant même ma réponse il disparut et revint avec une bouteille de vodka et deux verres. La vodka me rappela les souvenirs agréables de notre première rencontre en tête-à-tête.

Avant de le quitter, je lui tendis le courrier des lecteurs. «Ce n'est rien en comparaison des sacs entiers qui arrivent pour vous chaque semaine, mais j'ai pensé que vous aimeriez en lire un échantillon. »

Il me remercia. «On s'en fait une petite dernière rapide, avant que vous ne partiez ? »

Chapitre 15

L a dix-septième partie fut la partie décisive. Elle eut lieu le mardi 26 avril, soit un mois jour pour jour après la tumultueuse victoire de Gelb et de son Cavalier noir.

Le challenger jouait les Blancs mais le début de partie sembla le déstabiliser, et l'agressivité du champion le prendre de court. La première phase à peine achevée, les commentateurs décrétèrent que Koroguine contrôlait la situation. Moi-même, certes simple amateur, j'estimais que Gelb n'avait pas été du tout à la hauteur en ce début de partie.

L'analyse *a posteriori* devait démontrer que c'est le douzième coup des Blancs, l'avancée inattendue du pion du Fou-Roi, qui avait mystifié le champion.

Sur le moment, toutefois, les commentateurs considérèrent
ce mouvement avec scepticisme. D'abord parce qu'il affaiblis-
sait les cases noires voisines, ensuite parce qu'il bloquait sur
l'aile Roi le Fou-Dame de Gelb, et enfin parce que le rempart
de pions regroupés autour du Roi blanc avait été percé. Bref,
cette initiative paraissait contredire toutes les théories généralement admises sur le jeu de position.

Mais il y avait des compensations : ce mouvement rendait
la position plus offensive. Sans oublier l'aspect psychologique. Il était dans la nature du champion de considérer que
sa conception des échecs était la seule qui valût. Le jeu du
challenger constituait en soi une infraction à cette conception,
et ne devait donc pas rester impuni. L'énergie et le temps que

Koroguine aurait dû préserver en vue des phases ultérieures de la partie se trouvèrent dès lors gaspillés à seule fin de réfuter l'audace de son adversaire. Il consacra pas moins de trois quarts d'heure de réflexion à ses deux coups suivants. Si le champion s'était contenté de développer ses forces par des mouvements naturels au lieu de consacrer autant de temps à une «réfutation» abstraite, la position du challenger aurait fort bien pu se disloquer d'elle-même. L'écart de points entre les deux joueurs serait tombé à un, et le sort du match serait demeuré incertain. Koroguine, à force de devoir garder un œil rivé à la pendule dans l'ultime phase de la partie, perdit patience et bâcla la suite. Dans les dernières minutes, s'évertuant toujours à reprendre l'avantage, il ne sut pas anticiper l'attaque soudaine du challenger contre son Roi et dut s'incliner.

Chapitre 16

« D ina !
— J'espère que je ne dérange pas.
— Pas du tout. »
On m'avait averti qu'une jeune femme m'attendait à la réception du journal.
« Désolée de vous avoir manqué. Misha nous a dit que vous étiez passé. Il y a deux semaines, c'est ça ? »
Deux semaines, en effet. Les parties dix-huit à vingt, une simple formalité dans la mesure où le résultat final du match ne faisait plus de doute, s'étaient en effet déroulées sans surprise. Découragé, le champion avait négligé ses défenses, décroché deux nuls et concédé un revers supplémentaire au terme de la dix-neuvième. Après quoi Koroguine avait demandé un ajournement. Mais rien ne pouvait plus retarder sa défaite finale.
« Vous assisterez au match, si je comprends bien ?, demandai-je. Il n'y a aucune raison de s'angoisser. La partie ressemblera à une cérémonie de clôture : quelques mouvements de part et d'autre et on apportera la couronne de lauriers. »
Nous étions le 7 mai, deux jours avant la fête de la Victoire[1].

1. La victoire sur l'Allemagne nazie est célébrée le 9 mai en Russie. (*N.d.T.*)

«Oui, j'y vais. C'est pour ça que je suis ici. Je me disais qu'on pourrait y aller ensemble, si vous êtes d'accord.»

Dehors, l'averse matinale avait laissé derrière elle des trottoirs étincelants. Il était de plus en plus difficile de croire au souvenir d'une Moscou recouverte de neige. Nous nous arrêtâmes pour déjeuner dans un café très en vogue chez les écrivains de la capitale, et je commandai des boissons.

«Pas de bulles, protesta-t-elle. Du jus d'orange, le jus d'orange m'ira très bien.» Elle rougit.

Nous bûmes et attendîmes nos plats dans un silence pesant.

«Je suppose que vos bagages sont presque prêts?», fis-je enfin, ne sachant que dire.

«Oui.» Elle baissa les yeux. «Le train pour Riga part dans trois jours.»

Je ne lui demandai pas si elle se trouverait à bord.

Nos plats arrivèrent.

«Tenez», dit-elle au bout d'un moment en me passant une note pliée en quatre. C'était donc elle qui avait convoyé au bureau tous les messages de Gelb.

Une adresse à Riga, et un numéro de téléphone.

«Si jamais vous souhaitiez nous joindre. Misha espère que oui.»

Quelques minutes plus tard, elle vida son sac.

«Nous allons nous marier», dit-elle. Sa voix était triste.

«Et le théâtre? La troupe?

– Je ne sais pas.»

La date et le lieu du mariage restaient à déterminer.

Pour la première fois dans ce match, le challenger ouvrit en avançant le pion-Dame blanc. Les premiers coups du champion furent tout aussi pacifiques. Assis à la table des juges, à l'autre extrémité de la scène, Koblents et Rudik étaient penchés en avant, attentifs. Madame Koblents et Dina suivaient la partie depuis les coulisses.

Aucune raison d'éprouver une quelconque anxiété. Mais Dina semblait pressentir ce qui l'attendait. Les journaux dont les émissaires remplissaient la salle de presse s'agglutinaient autour de Gelb, reportant sur lui tous leurs superlatifs, mieux valant tard...

Allaient-ils le transformer en héros des jeunesses communistes?

Et lui, comment parviendrait-il à se montrer à la hauteur des gros titres? Les exigences de son rôle et du protocole finiraient-elles par l'enfermer dans un moule? De grands tournois l'attendaient, la pression de la performance serait désormais permanente. Qu'allait-il advenir de Dina, de ses lectures, de ses sorties ciné à Riga? De l'amour de Gelb pour les « petites parties vite fait » ?

Mais c'étaient là des questions pour un autre jour.

Petits déplacements de pions de part et d'autre, petits intervalles entre les coups pour réfléchir. Comme si le champion et le challenger, sur la scène, jouaient à jouer, sans plus.

À un moment, le challenger s'accorda un long temps de réflexion. Le dix-septième coup lui demanda trente-six minutes. À cinq heures quarante-quatre, il joua de nouveau le pion-Dame, l'amenant jusqu'au centre de l'échiquier. Au-dessus de la tête des joueurs l'échiquier géant annonça la nouvelle position.

Ce fut le dernier coup du match. Koroguine distribua quelques poignées de mains avant de s'éclipser. Ce nul plaçait Gelb au-dessus de la barre des douze points (12,5 à 8,5, score final). Aux premiers rangs, spectateurs, spectatrices et supporters se levèrent pour applaudir. Une ovation debout qui gagna rapidement tout l'auditorium. Tout autour de mon fauteuil montaient éclats de rire, cris et sifflets. Et lorsqu'on apporta sur scène la tresse de lauriers, et qu'on la disposa sur les maigres épaules de Gelb, les applaudissements enflèrent, trépidèrent, tonnèrent.

Au centre de la scène, le visage luisant à cause des flashes, Gelb souriait au-delà des journalistes, à la foule crépitante. Toute la fatigue et la nervosité accumulées l'avaient quitté. Les micros tendus se bousculaient contre sa poitrine mais lui se contentait de rougir, et de rire.

Le champion.

« Votre première réaction ? »
Il m'offrit alors le titre de mon dernier article.
« J'ai du soleil plein la tête. »

Je tiens à remercier tout particulièrement le grand maître Vladimir Kramnik, champion du monde d'échecs, pour son hospitalité et sa générosité. Je remercie également le traducteur Daniel Roche, ainsi que mon éditrice Catherine Meyer, et toute l'équipe des Arènes.

L'exemplaire que vous tenez entre les mains a été rendu possible grâce au travail de toute une équipe.

Coordination éditoriale : Flore Gurrey
Réalisation des fac-similés : Gilles Berquet
Mise en page : Daniel Collet (In Folio)
Révision : Aleth Stroebel
Fabrication : Maude Sapin avec Isalyne Avenel
Commercial : Pierre Bottura
Communication : Isabelle Mazzaschi avec Adèle Hybre
Relations libraires : Jean-Baptiste Noailhat
Rue Jacob diffusion : Élise Lacaze (direction), Katia Berry (grand Sud-Est), François-Marie Bironneau (Nord et Est), Charlotte Knibiehly (Paris et région parisienne), Christelle Guilleminot (grand Sud-Ouest), Laure Sagot (grand Ouest) et Diane Maretheu (coordination), avec Christine Lagarde (Pro Livre) Béatrice Cousin et Laurence Demurger (équipe Enseignes), Fabienne Audinet et Benoît Lemaire (LDS), Bernadette Gildemyn et Richard Van Overbroeck (Belgique), Nathalie Laroche et Alodie Auderset (Suisse), Kamel Yahia et Kimly Ear (Grand Export).
Distribution : Hachette
Droits France et juridique : Geoffroy Fauchier-Magnan
Droits étrangers : Laurence Zarra
Envois aux journalistes et libraires : Patrick Darchy
Accueil du 27 rue Jacob : Fadéla Hassani
Librairie du 27 rue Jacob : Ariane Geffard
Comptabilité et droits d'auteur : Christelle Lemonnier avec Camille Breynaert

Achevé d'imprimer en France en avril 2016
sur les presses de Normandie Roto Impression s.a.s.
à Alençon (Orne)

ISBN : 978-2-35204-497-0
N° d'impression : 1601499
Dépôt légal : mars 2016